JN321692

THE HISTORY OF
EUROPEAN
ORNAMENTS
AND MOTIFS

ヨーロッパの装飾と文様

海野 弘

PIE

THE HISTORY OF
EUROPEAN
ORNAMENTS
AND MOTIFS

もくじ

装飾　私たちはそこで美しい世界を見る 006

第1章　装飾文様の歴史
　　　　様式の構造と伝播 023

1　エジプト　永遠なる形 030
2　メソポタミア　生成し、連続する文様 034
3　ギリシア　唐草の誕生 038
4　ローマ　帝国の秩序を見せる 042
5　中国　怪獣文と唐草 046
6　ペルシアとイスラム　平面の数学 050
7　ケルト　神秘の組紐文 056
8　ビザンチン　絢爛たる装飾宇宙 060
9　ロマネスク　ヨーロッパ様式の誕生 066
10　ゴシック　自然の再発見 070
11　ルネサンス　優雅な調和の幾何学 074
12　バロック　情熱の紋章 078
13　ロココ　女性がつくった初のスタイル 082
14　ロシア　生きつづけるフォーク・アート 086
15　19世紀　様式の氾濫 092
16　アーツ・アンド・クラフツ運動　ゴシックの精神 096
17　アール・ヌーヴォー　東と西が出会う 100
18　アール・デコ　最後の様式か 104

第2章　装飾文様の形
イメージのカレイドスコープ　形のことばの事典 109

◆ 幾何学文様
モチーフ 1　唐草文・アラベスク　すべての文様の母 114
モチーフ 2　縞　文様のはじまり 116
モチーフ 3　格子　縦と横の組合せ 117

THE HISTORY OF
EUROPEAN
ORNAMENTS
AND MOTIFS

モチーフ 4　三角・ウロコ　山と波と 118
モチーフ 5　四角・菱・多角　空間をすき間なく埋める 119
モチーフ 6　円　コンパスの回転 120
モチーフ 7　C字・S字　円のかけらの散乱 122
モチーフ 8　山形・波形・鋸歯　ジグザグのリズム 123
モチーフ 9　渦巻・らせん　めまいの空間 124
モチーフ 10　メアンダー（雷文）　ギリシアの鍵形 126
モチーフ 11　ギローシュ（組紐文）　綾取り遊び 127
モチーフ 12　ドット　気ままな撒布 128
モチーフ 13　カルトゥーシュ　華やかな縁飾り 129

● 植物文様

モチーフ 14　アカンサス　植物文の生成 130
モチーフ 15　パーム（シュロ、ナツメヤシ）　手の平と葉形 132
モチーフ 16　パルメット　ヤシの葉の団扇 133
モチーフ 17　ロータス（蓮華）　母なる文様 134
モチーフ 18　月桂樹　勝者への冠 135
モチーフ 19　バラ　花々の女王 136
モチーフ 20　ゆり　泥中に咲く花 138
モチーフ 21　水仙　水に映る私 140
モチーフ 22　アイリス　ヴェールをゆらめかせて 141
モチーフ 23　すみれ　可憐な乙女たち 142
モチーフ 24　ひなぎく　小さな野の花 143
モチーフ 25　忘れな草　可憐な思い出 144
モチーフ 26　椿　ジャポニスムの香り 145
モチーフ 27　ポピー　赤いエクスタシー 146
モチーフ 28　チューリップ　花のワイン・グラス 147
モチーフ 29　千花文様・ミルフルール　花の星空 148
モチーフ 30　フェストゥーン　花綱文 150
モチーフ 31　ロゼット　バラと太陽 151
モチーフ 32　ペイズリー　カシミア・ショールの花柄 152
モチーフ 33　ざくろ　つつしみと誘惑 154
モチーフ 34　ぶどう　シルクロードに茂る 156

CONTENTS

003

THE HISTORY OF
EUROPEAN
ORNAMENTS
AND MOTIFS

モチーフ 35　いちご　愛の女神の果物 158
モチーフ 36　りんご　幸福の果実 159
モチーフ 37　生命の木　文様の宇宙 160

◆ 動物文様

モチーフ 38　双獣文　同一と正反対 162
モチーフ 39　ライオン　さまざまなポーズ 163
モチーフ 40　羊　どこまでもつづく行列 164
モチーフ 41　うさぎ　臆病な快速ランナー 166
モチーフ 42　鹿　軽やかな跳躍 167
モチーフ 43　馬　優美な疾走者 168
モチーフ 44　犬　いつも人のそばに 169
モチーフ 45　牛　性によって変わるイメージ 170
モチーフ 46　山羊　豊かな実りへの供物 171
モチーフ 47　猿　道化役者 172
モチーフ 48　象　大いなる威厳 173
モチーフ 49　虎　東の猛獣 174
モチーフ 50　猪・豚　野生と文明の間 175
モチーフ 51　蛇　魔性の誘惑 176
モチーフ 52　魚　数えきれない生きものたち 178
モチーフ 53　イルカ　海の子どもたち 179
モチーフ 54　たこ　海中の渦巻 180
モチーフ 55　ほたて貝　女神の器 181
モチーフ 56　鳥　空飛ぶ形 182
モチーフ 57　花喰鳥　花と鳥が混じり合う 183
モチーフ 58　わし　太陽の鳥 184
モチーフ 59　鳩　平和のシンボル 186
モチーフ 60　孔雀　女王の象徴 188
モチーフ 61　つばめ　流線型のダンディ 190
モチーフ 62　白鳥　羽衣天女たち 191

◆ 昆虫文様

モチーフ 63　蝶　胸のときめき 192

CONTENTS

004

THE HISTORY OF
EUROPEAN
ORNAMENTS
AND MOTIFS

モチーフ64　トンボ　ミニチュアの龍 193

● ファンタジー文様
モチーフ65　ドラゴン　アラベスクの怪物 194
モチーフ66　ユニコーン　貴婦人のペット 196
モチーフ67　ペガサス　飛び馬の夢 198
モチーフ68　フェニックス　火から生まれた不死鳥 199
モチーフ69　人魚　海の乙女たち 200
モチーフ70　グリフォン　天と地を行く 201
モチーフ71　スフィンクス　謎をかける女神 202
モチーフ72　メデューサ　蛇の髪をした恐怖の顔 203
モチーフ73　セイレーン　海の誘惑 204
モチーフ74　パーン（牧神）　陽気な半獣神 206

第3章　装飾文様の展開

そのさまざまな舞台 207

1　唐草文の旅　シルクロードのロマンス 212
2　迷路文　文様から神話へ 214
3　柱頭装飾　建築装飾の中心 216
4　ステンドグラス　天使がきらめく窓 218
5　紋章学　私を示す文様 220
6　カリグラフィ　文字と装飾の間 222
7　装飾写本　本の華やかなミクロコスモス 226
8　本の装丁　書物の建築 230
9　絨毯の歴史　敷物の中の楽園 234
10　刺繍の歴史　針と糸の魔術 238
11　レースの歴史　すき間の音楽 242
12　宝飾の歴史　人間を飾る星 246

索引 250　　作品クレジット 255

005

装飾
私たちはそこで美しい世界を見る

装飾とはなにか
世界を見る、世界を読む

　装飾とはなにか？　辞書風にいえば、〈装飾〉は、物の外面を美しく飾ることである。どのように、なんで飾るかといえば、〈文様〉つまり〈パターン〉で飾る。

　外面をパターンで飾る、というと、なにかつけ足しのように聞こえるが、実はもっと重要である。なぜなら、パターンのない物はないからだ。つまり、パターンがあるから、それによって物が見えるので、パターンがなければ物は見えない。私たちはパターンによって、物を、世界を認識することができるのだ。

　〈文様〉はパターンである。より限定していえば、〈文様〉は美しいパターンである。美しいというのは、そのパターンによって、世界がよりはっきりと、より快適に、より深く、また楽しく見えてくる、という意味である。人間はその長い歴史の中で、世界をうまく表現してくれるパターンを探し求め、それを見つけると、世界中に伝えてゆく。唐草文様などは、そのような美しいパターンの例なのである。

　パターンについてもう少し考えてみよう。パターンは、原型、模範、図案、文様などと訳される。パターンの語源がファーザー（父）と同じだというのにはおどろかされる。つまり、パターンは物の形のパパ（お父さん）なのだ。原型であり、模範なのだ。

パトロンというのも同じ語源だ。保護者であり、父なのだ。パターンは形を意味づけ、権威づけ、守護する。美しい文様がしばしば聖なる形であることも、パターンを父なる形と考えれば理解できる。

　パターンは混沌とした世界を切り分け、見えるものとする。たとえば、あれは花だ、あれは犬だ、というふうに、名前をつけ、認識してゆく。パターンがなければ、すべては混ざりあって、なにも見えない。

　パターンを、ある類似したものを集めて、それをくくって〈花〉という名をつけることとすると、パターンは記号であり、ことばであることになる。パターンは個人のものではなく、人間の共通の認識となる。パターンによって、私たちは共通の世界をつくりあげ、パターンを通して、人間と人間がコミュニケーションを持ち、パターン＝言語によって話し合う。したがって、パターンとことばの発生は密接に関連しているものとなる。

　視覚的パターンとしての文様は、言語と似た構造を持っているが、ある面では言語よりもずっと広い普遍性を持っている。言語はいくつにも分かれ、外国語は知らないと理解できないが、唐草文は世界中で使われている。

　以上のように、〈文様〉について考えるためには、その基礎となるパターンを考え、〈文様〉がパターンとして、世界認識に関わることを意識しておかなければならない。

　英語では装飾をあらわすのに、オーナメントとデコレーションの語がある。オーナメントはオーダー（秩序、法則、命令、様式、勲章）からきたことばである。きちんとそろえ並べる。〈文様〉という美しいパターンは、きちんと並べることで見えてくるのだ。たとえば、直線を等間隔で並べると縞文様ができる。2つの縞文様を直交させれば格子文ができる。

　デコレーションには、フィット（ぴったり）したという意味があるらしい。デ

コールにはオーダーと同じ勲章という意味がある。やはり父という権威に守られた秩序だった形ということである。

ここまでをまとめると、〈装飾〉は、世界を見えるものとし、読めるものとするパターンの表現であり、特に、美しいパターン（文様）を与えるものなのである。すなわち〈装飾〉によって、私たちは世界を美しく、豊かに、楽しく見ることができるのだ。

〈装飾〉はパターンによって、人間の世界認識と表現の全領域に関わっている。それはあまりに広いので、大きく分けておくことにしたい（右ページ図表参照）。まず文様には、自然界の具体的な物をかたどったパターンと幾何学文様といわれる抽象的なパターンがある。この2つを横軸の両極とする。

次に、純然たる形態のパターンと、記号、言語、象徴などの意味を持ったパターンの対極がある。これを縦軸とすると、全体は4つに分けられる。この図によってパターンを分類してみることにしよう。

まず幾何学的で、形を純粋に見せようとする第1象限（Ⅰ）には、縞、格子、円、三角などのパターンが入る。しかし幾何学文様であっても、意味を帯びることもある。たとえば上下に揺れながら進む曲線文は、波形文と名づけられると、〈波〉という具体的な形に結びつけられ、意味を帯びる。

第2象限（Ⅱ）は、自然界の形によるパターンが入る。植物文様、動物文様、風景文様などがある。植物文様でも、幾何学文に近いものもあり、反対に具体的な花の文様になってくると、バラとかゆりのように、花言葉といった意味を持つようになり、第3象限（Ⅲ）に近づいてくる。

円とか三角は、第1に入るが、それらのパターンを太陽とか星とかに見なすようになると、第3象限に入ることになる。ここには具体的なイメージが象徴的な意味を持ったものが入る。形のない意味はなく、意味のない形もない。あら

装飾文様の分類

形

植物文様
動物文様
風景文様

幾何学文様

縞→P116 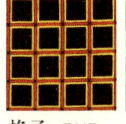　格子→P117 　三角→P118

円→P120-121　曲線→P122-123

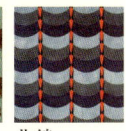

バラ文様→P136-137
ゆり文様→P138-139

写実的文様（リアリズム）具象

唐草文→P114-115

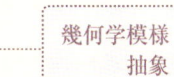

第2象限 II　第1象限 I
第3象限 III　第4象限 IV

幾何学模様 抽象

シンボル（象徴）
象徴的・神話的文様（太陽・星）

紋章→P220-221

記号
文字

象形文字 　アルファベット 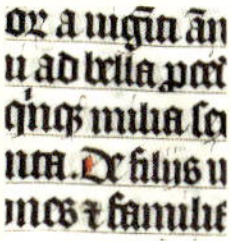　カリグラフィ

構造的・建築的文様

アーチ 　柱

意味

ゆるパターンは形と意味を含んでいるが、両極のバランスがちがっているわけである。

　具体的な形によって示される象徴（シンボル）がしだいに抽象化し、記号化、言語化していくと、第4象限（Ⅳ）に入ってゆく。ここには、記号や文字が入る。象形文字からアルファベットにいたる変化が文字の記号化を示しているが、そこから装飾性がなくなることはない。アルファベットは抽象的記号であるが、そこからさまざまな装飾文字（書体）が展開し、カリグラフィのアートを花咲かせる。

　以上の分類は決して絶対的なものでも、固定的なものでもない。多様なパターンを整理するための1つの作業モデルにすぎない。ある文様は、1つの象限に固定されているわけではなく、その形や意味の見方によって、動き、移動していく。同じような形でも、名前のつけ方によって、別な区画に入ったりする。唐草文（fig.1）はⅡに入るが、のびひろがる、〈成長〉という意味を帯びると、境界を越えて、Ⅲへと移動していく。

　唐草はドイツ語ではランケと呼ばれる。つる草という意味だ。唐草という、エキゾティックな、中国の唐の国をイメージする名で呼ばれるだけで、なんとちがった雰囲気が浮かんでくることだろうか。

　あるパターンはさまざまなものに見立てられ、名づけられる。このような形と意味の変動性、多様性こそ、装飾文様の面白さの源泉なのだ。形はさまざま

fig.1
イマーム・モスク（トルコ）の唐草文様

なものに見立てられる。〈見立て〉、〈名づけ〉は文様の重要な機能である。そのことで、文様は私たちの想像力を解放してくれるのだ。異国の見知らぬパターンは、自分たちの親しいものに見立てられ、知っている名をつけられ、その国のものとなる。そのために、1つの文様は世界中に伝えられ、それぞれの地に根づき、花を咲かせることができるのだ。

パターンは移動し、シルクロードのような文明の道を旅していく。それだからこそ、ギリシアの唐草は日本にも伝えられ、逆に、日本の水の文様は、ヨーロッパに伝えられるのだ。パターンは旅をし、それぞれの国で名前を変えながらのびてゆく。

〈見立て〉と〈名づけ〉という文様の機能で注意しなければならないのは、ある文様の起源の解釈である。ある国、ある地方の名だけである文様を解釈するのは危険だ。たとえば、バラの花文は、バラの花の形を見てつくられた、という説明がある。なるほどと思われるが、別な花の形をもとにつくられた花文が、伝えられた国で、バラの花に見立てられた、という可能性もある。

この問題についてはあらためて触れるが、〈装飾〉の研究は、20世紀に入ってから長いこと中断されてしまい、美術史の中で遅れてしまったことを記しておきたい。

〈装飾〉の本格的な研究は、19世紀半ばのオーウェン・ジョーンズ（1809-74、fig.2）などにはじまり、アーツ・アンド・クラフツ運動のウィリアム・モリス（1834-96、fig.3）などによって展開された。

しかし20世紀に入ると、モダン・デザインの、装飾は悪であり、不要であるという考えにより、美術史は装飾をあつかわなくなってしまうのである。

20世紀の後半、アール・ヌーヴォー・スタイルのリヴァイヴァルによって、ようやく〈装飾〉への関心が甦ってくる。私が『装飾空間論』を書いたのは1973年

であったが、まだ反響はあまりなかった。しかし、その後、アール・ヌーヴォー、アール・デコの魅力が再発見され、さらに、オーウェン・ジョーンズ、ウィリアム・モリスの装飾デザインの豊かな世界がようやく開示されつつある。

　パターンによって、文様によって世界を見えるものとし、世界をめぐっていく装飾の長い旅を、私はこの本でたどっていきたい。原始以来の人間が見出した無限に豊かな形が次々とあらわれて、彼方への夢をかきたててくれるだろう。

fig.2
『装飾の文法』
オーウェン・ジョーンズ著
（1856）

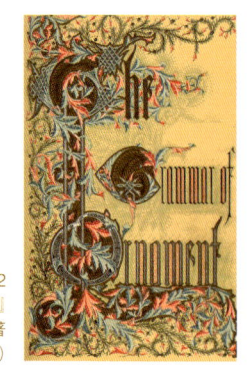

fig.3
内装用ファブリック
「いちご泥棒」
ウィリアム・モリス作
（1883）

装飾文様の誕生　2つの説

　パターンがどこからきたか、つまり文様はどのようにつくられたか、については大きく2つの説がある。1つは自然界からというもので、バラの花を見てバラの花文をつくったとするリアリズム説である。

　すでに示した図（P9）でいうと、左半分についてはこの説で説明しやすい。これによると、左半分のパターンが先にあり、しだいに右半分の幾何学的パ

ターンに進歩していった、と見られる。

　それに対してもう1つの説は、自然からの進化に反対する。むしろ右半分の、幾何学的パターンが原型として先行するとされる。この原型がもともと世界に内在する、プラトンのいう形相（エイドス）、観念（イデア）であるか、人間の主観の中の概念（コンセプト）であるかは意見が分かれるが、リアリズムに対するイデア主義（アイデアリズム、観念論）といっておこう。この説では図の右半分が先在し、左半分はあとから発達したことになる。

　バラの花を見てバラの花文をつくる、というリアリズム説はわかりやすい。確かに、これで説明できる文様もある。しかし説明できない例も多い。美術史的にいえば、今日では、リアリズム説はほとんど通用しないと思うが、今でも装飾をあつかった本で、そのまま使われていることがある。装飾史の分野が美術史の中でかなりおくれていることを示している。

　装飾史の1つの出発点となったのはオーウェン・ジョーンズの『装飾の文法』（1856）である。そして世紀末のウィーンの美術史学者アロイス・リーグル（1858-1905）の『美術様式論』（1893）があらわれる。副題は「装飾史の基本問題」といい、内容は、ギリシアに誕生した唐草文様の発達を詳細にたどった研究である。この本はすぐに忘れられてしまった。〈装飾〉は余分なものとするモダン・アートの思想が広がったからである。しかし、リーグルのこの本は今読んでもすばらしい。これを超える本はまだ出ていないといえるほどだ。

　リーグルは、装飾の起源について考察している。古代ローマの建築家ウィトルウィウス（前1世紀頃）が伝える、古代ギリシアのアカントスという植物の写生からアカンサス文様（fig.4）ができたという話が長いこと信じられてきた。すでにのべたリアリズム説である。しかしアカンサス文の原型はアカントスとは似ていず、アカントスの形に近づき、アカンサスと名づけられたのはあとに

なってからであった。

　リーグルは、植物文様があらわれる前に、幾何学文様があったとのべている。また注目すべきなのは、私たちの常識とは反対に、装飾は平面から立体に発達するのではなく、立体が先にあり、平面はあとのかなり高度な段階としてあらわれることだ。つまり、2次元の円より、3次元の球を人間は最初にとらえ、つくったらしい。平面にパターンを描くのは、かなり進化した文化なのである。

　さらに、動物と植物では、人間は動物を先に描きはじめたらしい。原始時代の洞窟画には、動物がいきいきと描かれている。植物を描くのはずっとあとで、土器づくりや農耕文化の発達との関連を感じさせる。

　自然物の写生から、という装飾の起源のリアリズム説に対して、19世紀の後半には技術的・唯物論的成立説が流行した。リーグルの本はこの説の批判として出されている。

　ドイツの建築家ゴットフリート・ゼンペル（1803-79）などによって出されたこの説は、幾何学文様が先行することを認めるが、それがある技術、特に織物技術によって発生したとする。人間が編物や織物の技術を発明し、それがつくり出す組織から、幾何学文様が生まれた、という。

　しかし織物があらわれる以前に、幾何学文様は使われているので、この説は成り立たない、とリーグルはのべている。

fig.4
壁紙「アカンサス」
ウィリアム・モリス作（1875頃）

これまでのことを整理してみよう。人間はまず立体的なものを最初に認識する。3次元の形がとらえられる。それを平面化するのはあとである。装飾も立体的なものが先である。ナイフなどに彫られた凹凸などの飾りがあらわれる。それは視覚的であるとともに手で触れる、触覚的なものでもある。

　そして立体的で動くもの、動物がまず描かれる。植物が描かれるのはかなりあとである。その間に、立体から平面へという転換が行われる。平面に輪郭(線)が引かれる。それは、大地、畑に、筋(畝・うね)を引くことと重なる。

　平面に線を引くことで、平面的なパターンが認識され、幾何学文様が出現する。それらのパターンは世界を見えるように構成してゆく。平面パターンは輪郭という、自然、現実世界にはない、仮想の線によって世界をとらえる。

　平面パターンの発達は、自然界の植物の表現を可能にする。幾何学文は植物の形へと近づいてゆく。織物技術の発明は平面パターンに最適の舞台をもたらした。幾何学文は、植物文、織物という新しい世界に入ってゆく。

　パターンの基本となる幾何学文がどうやってできたかは、まだわからない。格子文やらせん文はどこかで生まれ、世界中に伝わっていったのだろうか。しかし、同じような幾何学文は、世界のかなり離れた場所で発見されている。それらは互いに関係しているのだろうか。それとも無関係に独自につくられたのだろうか。

　いくつもの場所で、それぞれ独自につくられた、というのが有力な考えである。それでも同じ形ができるのは、人間が世界を見るために共通のパターンを持っているからではないだろうか。

　基本的なパターン、幾何学文が生まれるプロセスを想像してみたくなる。私の前に、なにもない(見えない)空間がある。私は人さし指をまっすぐに突き出し、そこに触れる。指が触れたところに点ができる。それをくりかえすと、

多くの点におおわれた平面があらわれる。その中の2点を結んでみると、線があらわれる。

　このように、点、線、面という段階で空間が構成されてゆく流れを語ったのはワシリー・カンディンスキー（1866-1944）であった。彼はバウハウスでの講義のまとめとして『点・線・面』（1955、fig.5）書いている。私もそれにならって、文様の国をたどっていこう。

　たくさんの点をばらまき、それをつないでみる。2つの点を結ぶと線、3つの点で三角、4つの点で四角…。そして1つの点から等間隔の点を結ぶと円ができる。また2つの線を直交させると十字である。

　そうしてできる形を、三角、四角、円のように閉じた形、直線、折れ線（ジグザグ）、曲線、渦巻などの開いた形、十字などの交差した形などと分けることができる。

　さまざまな装飾パターンについて絶対的な分類はないのだが、いくつかの分類が工夫されている。それぞれ面白いので、1つの例を紹介しておこう。

　『視覚芸術入門』というフランスのボルダス社が1968年に出した芸術を学ぶ学生のためのテキストがある。装飾に大きな頁を割いているのが特徴となっている。そこで装飾の法則として〈くりかえし（リピート）〉(fig.6)、〈互

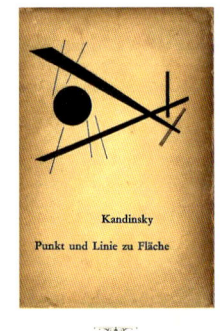

fig.5
『点・線・面』
ワシリー・カンディンスキー著
（1955）

いちがい（オルタネーション）〉(fig.7)、〈反転（インヴァージョン）〉(fig.8)、〈重ね合わせ（スーパーポジション）〉(fig.9)をあげている。

　〈くりかえし〉は最もシンプルで重要な文様の構成法である。同じものを並べてゆく。線を平行にくりかえしていけば縞文様になる。点や四角をリピートしていってもよい。

　〈互いちがい〉では2つのモチーフが交互にくりかえされる。ちがうのは形でも色でもよい。ここでは〈くりかえし〉は、1つおきにちがうものを入れることで変化を見せる。またどっちが主なモチーフか副次的なモチーフか、まなざしをまどわせる。

　〈反転〉は、あるモチーフとそれを上下、または左右に反転したモチーフを互いちがいに並べる。

　〈重ね合わせ〉はいくつかのモチーフを重ね合わせ、重層的で、迷路的なパターンをつくり出す。

　以上は4つの文様構成法であるが、〈くりかえし〉を基本としたヴァリエーションと見ることもできる。

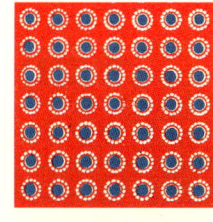

fig.6
くりかえし文様

fig.7
互いちがいの文様

fig.8
反転文様

fig.9
細かい葉の地文に小花の重ね合わせ文様

装飾の要素としては、幾何学的なもの、点と線、またパルメット、トレーサリー、スパイラル（らせん）、アラベスク（唐草）など古典的イメージをあげている。そして表面装飾としてボーダー（縁飾り）とバックグラウンド（地、背景）をとりあげている。あまりきちんとした分類ではないが、縁や地といった装飾が使われる場をとりあげているのが注目される。装飾は、使われる場によって、さまざまな変化をくりひろげるのである。

　もう1つ、イギリスのエジプト学者フリンダース・ペトリ（1853-1942）の分類を紹介しておこう。彼は古代エジプトの文様を4つに分類した。1は幾何学文様である。2は植物、動物、自然の文様である。3は象徴的、神話的、紋章的な文様である。そして4は構造的、建築的文様である。

　この分類に触れたのは、私がはじめに示した縦横の直交軸による装飾の4分図（P9）と重なっているからである。ペトリの1、2、3の分類は、それぞれ、第1、第2、第3象限に入る。そして第4象限には文字、記号を入れたのだが、ペトリがいうように、構造的、建築的文様も加えるべきだろう。

　構造的、建築的パターンというのはどういうものか、というと構造物がそのまま装飾になっているものだ。たとえば、レンガ積みの壁などで、構造体であるレンガの積み重ねが、そのまま美しい格子文をつくり出しているといった例があげられる。その他、アーチ、柱、パネルなどの構成がつくりだすリズムなどもある。柱には飾りをつけ加えることもあるが、柱が並んでいるだけで、快い装飾感がもたらされる。

　建築のオーダー（規則的構造）がもたらす装飾美と文の構造の法則（文法）とは共鳴しあっているのかもしれない。文字・記号と建築が同じ区画に入ってくるのは不思議ではないのだ。オーウェン・ジョーンズは、装飾を言語的なものと考えて、その文法（グラマー）を語ろうとしたのである。

装飾の様式と伝播

　装飾は、世界中でばらばらに発生したとしても、やがて出会い、共通の視覚言語となり、世界中をめぐってゆく。

　装飾は人類の誕生から現代にいたるまでの長い歴史を旅してきた。ここで、装飾と美術史の関係を考えてみよう。装飾史は美術史に属しており、両者は別々ではない。〈美術史〉という大きな領域の一部が装飾史だといえるだろう。しかし逆に、装飾史は、とめどなく広大な分野で、美術史がその一部だともいえるのだ。なぜなら、私たちの知っている美術史というのはせいぜい、エジプト、ギリシアなどの古代文明以降のものなのに、装飾史は、その何万年も前からはじまっているからだ。

　いわゆる〈美術史〉は、個人のアーティストの面から見られている。それに対して装飾史の大部分は、無名の人々の共同制作によってつくられている。さらに大事なことは、レオナルド・ダ・ヴィンチの絵は、彼だけの表現であり、一国的であるが、装飾美術の多くは世界中に伝えられ、その文様はくりかえし再生され、だれにでも新しくつくり直すことを許しているのだ。だからこそ、ギリシアで生まれた唐草文は、いつの時代、どこの国でも、自分たちのものとして描かれ、織り出されてゆくのである。

　装飾史のキーワードは〈様式（スタイル）〉と〈伝播（ハンディング・ダウン）〉である。装飾は共通の視覚言語となり、時代様式をつくる。〈様式〉というのは19世紀に出発した美術史で重視されるようになった観念で、人間が時代によって変化していくという歴史観を示している。〈様式〉によって時代を大きく区切り、その時代特有のスタイルをとらえようとする。

この方法は、集合的な共同制作をあつかう装飾史に向いており、個人史的な美術史ではなかなか難しかった。リーグルの『美術様式論』が装飾史であったことは、それを示している。

　しかしやがて、装飾史の影響を受け、美術史も〈様式〉による歴史を研究し、〈ゴシック〉、〈バロック〉、〈ロココ〉といった様式概念が発見されてくる。

　〈様式〉というのは、時代を読むための大きなパターンである。私たちは装飾様式を知ることで、その時代の輪郭をとらえ、その時代を見ることができる。〈様式〉が読めると、装飾はさらに面白く楽しいものとなる。なぜなら、〈様式〉は装飾のことばであり、それを知ると、装飾と話せるようになるのだ。

　〈様式〉の変化という時間軸をたどる一方で、〈伝播〉という空間的な移動も旅してみなければならない。装飾のもう1つの魅力である。〈伝播〉は、ハンディング・ダウン（手渡し）と訳してみたが、コミュニケーションとも訳せる。装飾は、異文化の間のコミュニケーションをつくり出すのだ。〈シルクロード〉が語りかけるように、東と西の文明は装飾美術を介してコミュニケートする。ペルシア絨毯は、ラクダや馬によって中国へ運ばれ、日本にも伝えられる。それに織り出された唐草文というパターンは、アジアの果てに達して、再び花を咲かせるのだ。

　装飾史をたどることは、〈様式〉という視覚言語をおぼえ、旧石器時代から現代にいたる、あらゆる形の世界、アートの世界を開いて、それを読んでいくことだ。小さな花の形に、人間がたどってきた果てしない道を感じることができるのは、装飾が与えてくれるぜいたくな楽しみなのである。

　何万年も前につくられたパターンをまるで今できたように再生することができる。1つの文様は、そのような何万年もの人類の情報が入ったチップのようなものといえるかもしれない。

装飾の〈伝播〉は私たちを想像力の旅へ誘う。ケルトの渦巻とアジアの遊牧民族スキタイの渦巻は関係があるのだろうか。そして、極東のアイヌの渦巻文はどこからきたのか。

　〈様式〉と〈伝播〉をたどるには何巻もの本が必要であるが、ここでは代表的な〈様式〉を選んで、その特徴への入門となるようにしたい。

　時代を大きく原始、古代、中世、近世、近代に分けておこう。原始時代は何万年もの長い時代で、さらに旧石器時代、新石器時代などに分けられるが、とても1つの〈様式〉にくくれない。まだわかっていない部分も多い。

　古代は、エジプト、メソポタミア、インド、中国などの文明があらわれてからで、やがて古典古代といわれるギリシア時代となる。装飾史が本格的にはじまる。

　中世は、ヨーロッパがキリスト教を中心として1つのまとまりを見せた時代で、エジプト、ギリシア、オリエント、ケルト、ゲルマンなどの文化がヨーロッパというるつぼで融かされて混じり合う。中世においてようやく、〈ロマネスク〉、〈ゴシック〉といった〈様式〉を語れるようになる。

　近世はルネサンスの時代からである。〈ルネサンス〉様式は、初期と盛期に分けることもある。そして末期を〈マニエリスム〉として独立させる考えもある。

　近世の後半の17世紀は〈バロック〉と呼ばれる。〈バロック〉という様式概念は、19世紀末以降の美術史の中であらわれた新しいくくり方である。〈バロック〉が認められることで、その前の〈ロマネスク〉、〈ゴシック〉も様式としてはっきりしたものとなった。

　〈バロック〉につづいて、18世紀は〈ロココ〉という様式で語られるようになった。

　19世紀については、〈アンピール〉、〈ネオクラシック〉、〈ヴィクトリアン〉、〈エドワーディアン〉(20世紀初め)などの小さな様式がめまぐるしく移っていった。

19世紀末には〈アール・ヌーヴォー〉という装飾スタイルが流行した。しかし1900年以降、装飾が批判されるようになり、〈様式〉はその足場を失った。それ以降、時代様式はあまり語られなくなった。
　その理由はおそらく、アートの世界が分裂し、前衛的で難解なモダン・アートがあらわれ、〈様式〉という共通の視覚言語が見えなくなったからだろう。
　モダン・アートが行きづまりを見せた1970年代になって、アール・ヌーヴォー以降の装飾様式として〈アール・デコ〉というくくり方と名がつくられた。
　アール・デコ以降、はっきりした時代様式はまだ見えていない。〈インターナショナル・スタイル〉ということばもあらわれたが、アール・ヌーヴォー、アール・デコにつづく、新しい〈様式〉といえるかどうかまだはっきりしない。少なくとも前の2つのスタイルに比べて、あまり魅力がない。
　したがって、装飾史の〈様式〉としては、アール・ヌーヴォー、アール・デコまでをあつかうことにした。
　以上は、装飾史を1つの流れとし、ヨーロッパ中心に語っている。しかし、メソポタミア、ペルシア、イラン、イラク、トルコなどの西アジアが装飾史に果たした役割は欠かせない。さらに中央アジア、インド、中国、日本、そしてアフリカ、アメリカ、オセアニアなどの装飾文化も魅力的だ。でも、あまりに厖大であるから、ここではヨーロッパとの関係でのべるにとどめておこう。
　私は先日、奈良を訪れた時、東大寺ミュージアムで特別展「国宝・東大寺金堂鎮壇具のすべて」を見た。そこには2振りの金鈿荘大刀（きんでんそうたち）が出品されていた。金鈿荘は金細工がほどこされている、という意味である。東大寺大仏の足元から発掘されたもので、かつては正倉院にあったという。くすんで飴色になった鞘に、金色の唐草が踊り、花喰鳥が舞っている。私はその文様が運ばれてきたシルクロードの幻の中をしばし陶然とさまよっていた。

> # THE
>
> THE HISTORY OF
> EUROPEAN ORNAMENTS AND
> MOTIFS
>
> # HISTORY
>
> CHAPTER 1

装飾文様の歴史

装飾文様の歴史
様式の構造と伝播

　形はどのように世界をめぐっていくのだろうか。英国のデザイナー、クリストファー・ドレッサーは1876年、『装飾の言語──装飾美術のスタイル』という本を書いた。この頃から、装飾への関心が高まり、どのような装飾を選ぶかが問題となり、そのために趣味と教養が求められるようになった。

　ドレッサーは装飾のスタイル（様式）を学ばなければならない、としている。様式というのは形のことばであり、それを知らないと装飾を読むことができない。

　〈様式〉が問題となってきたのは19世紀の半ばで、まず建築についていわれた。ある建物をどんな様式で建てるかが問われた。逆にいえば、どんな時代、どんな地域の様式でも使える時代に入ってきたのである。

　それ以前は、使える様式は限られていて、どれを選ぶか、選択肢が限られていた。

　しかし、19世紀には、世界中の様式が選べるようになり、選ぶのに迷うようになった。文様集や装飾事典がつくられるようになったのもこの頃からである。そのために、世界の装飾文様史をいくつかの時代に区分し、それぞれの時代の様式をまとめることが重要になった。

　様式というのもはじめから決まっていたわけではなく、19世紀ではゴシッ

クとかルネサンスなどの様式が知られていた。ドレッサーは、アラビア式、中国式、インド式、ムーア式などをあげている。これらはまだ大ざっぱなくくり方であったが、20世紀に入り、バロックやロココ、マニエリスムといった新しい様式概念が次々と認知されてくる。さらに、アール・ヌーヴォーやアール・デコといった時代様式も認められ、それまではばらばらであった形が、1つのまとまりを持つ視覚言語として読めるようになってきた。

　様式は形のことばとして、その時代を私たちにいきいきと伝えてくる。様式を知ることで、私たちはさまざまな時代、さまざまな国々と知り合い、その世界を旅していくことができる。私たちは世界中の形を見ることができるインターネットの時代にいる。それだからこそ、その形を読むことばを知り、その形によって、世界と話さなければならないのだ。

　装飾史では非常に多くの様式があるが、ここでは主要でポピュラーなものを18選んでみた。装飾の世界史はどこからはじめたらいいのだろうか。一般的にはエジプトからはじめる。もちろんそれ以前に装飾文様はあらわれており、原始美術、先史美術として研究され、魅力的な作品がつくられている。私などもいつかこの時代について書いてみたいと思っている。しかしそれは旧石器時代から新石器時代にいたる何万年もの時代にわたっており、1つの様式として語るにはまだ研究が不充分である。

　今の時点では、文明のはじまり、つまり農耕文化、金属器、土器が発明され、デザイン意識を持った組織的、構造的な文様がはじまった時代から様式史をはじめることにしよう。装飾は農耕と深い関係があるらしい。

大地に規則的な筋をつけ、種をまき、来年の収穫を予想する。そこでは植物が重要な意味を持つ。

　人間が最初にとらえた（描いた）形は動物であり人間像であったようだ。次に幾何学的な文様が描かれ、植物が描かれるのはかなり後になってからだ。植物の形をとらえた時、装飾文様の新しい時代がはじまった。

　最古の文明（エジプト、メソポタミア…）において、物の形は様式化され、文様化され、視覚的言語として物そのものから解放され、他の地方へ、次の時代へ伝えることのできる形となる。それだからこそ、エジプト文様は1つの様式として世界で共通に使えるものとなっているのだ。

　エジプトとともにメソポタミアの文明は装飾文様の豊かな源泉となった。その両者の間に育ったギリシア文明は、古代文様のパターンを吸収しつつ、それにつる草がのびていくような成長力、連続性、運動性を与えた。ギリシアにおいて植物文様が新しい次元を迎え、ヨーロッパやオリエントへと送り出され、その波は極東の日本にまで達したのである。

　ローマと中国、そしてペルシアなどの大帝国が華やかな装飾文化を交流させてゆく。中世ヨーロッパでは、ケルト、ゲルマンの古文化を編み込みながら、ロマネスク、ゴシックの様式を展開する。

　そしてルネサンスによって近代が開幕する。17世紀バロック、18世紀ロココは、20世紀になって再発見された様式だ。その刺激によって、アーツ・アンド・クラフツ運動、アール・ヌーヴォー、アール・デコなどがモダン・スタイルとして私たちに新しい形のことばを開いてくれた。

装飾文様の様式の主たる場所

⑦ ケルト
主な場所:フランス、ベルギー、ドイツ、オーストリア、イギリス、アイルランド
→P56-59

⑯ アーツ・アンド・クラフツ運動
主な場所:イギリス
→P96-99

⑫ バロック
主な場所:フランス
→P78-81

⑬ ロココ
主な場所:フランス
→P82-85

⑨ ロマネスク
主な場所:ヨーロッパ全土
→P66-69

⑩ ゴシック
主な場所:ヨーロッパ全土
→P70-73

⑮ 19世紀
主な場所:ヨーロッパ全土
→P92-95

⑪ ルネサンス
主な場所:ローマ、フィレンツェ
→P74-77

⑰ アール・ヌーヴォー
主な場所:パリ
→P100-103

⑱ アール・デコ
主な場所:パリ、ウィーン
→P104-108

⑭ ロシア
主な場所:キエフ、モスクワ、サンクトペテルブルグ
→P86-91

⑧ ビザンチン
主な場所:イスタンブール(旧コンスタンティノポリス)
→P60-65

④ ローマ
主な場所:ローマ
→P42-45

③ ギリシア
主な場所:ギリシア全土
→P38-41

① エジプト
主な場所:ナイル川流域
→P30-33

⑤ 中国
主な場所:中国全土
→P46-49

⑥ ペルシアとイスラム
主な場所:イラン高原
→P50-55

② メソポタミア
主な場所:チグリス、ユーフラテス川流域
→P34-37

027

装飾文様の様式年表

キリスト紀元 ↓

						紀元前(B.C.) ←	→ 紀元後(A.D.)		
世紀	前31世紀以前	前30-21世紀	前20-11世紀	前10-6世紀	前5-2世紀	前1世紀	1-5世紀	6-10世紀	11世紀
西暦		前3000年	前2000年	前1000年	前500年	前100年	0年	500年	1000年	110
時代区分	原始(先史)	古代(文明成立から5世紀後半頃)							

様式

1. **エジプト**(前3000年 - 前3世紀頃)→P30-33
2. **メソポタミア**(前3000年 - 前4世紀頃)→P34-37
3. **ギリシア**(前1200年 - キリスト紀元頃)→P38-41
4. **ローマ**(前735年 - 後4世紀頃)→P42-45
5. **中国**(前2000年以降)→P46-49
6. **ペルシアとイスラム**(前550年以降)→P50-55
7. **ケルト**(前5世紀 - 後11世紀頃)→P56-59
8. **ビザンチン**(5-15世紀頃)→P60-6

THE HISTORY OF EUROPEAN ORNAMENTS AND MOTIFS

| 13世紀 | 14世紀 | 15世紀 | 16世紀 | 17世紀 | 18世紀 | 19世紀 | 20世紀 |

200年　　1300年　　1400年　　1500年　　1600年　　1700年　　1800年　1850年　　1900年　　1950年

-15世紀頃) 　　　　　　　　　近世(16-18世紀頃)　　　　　近代(19世紀以降)

9. **ロマネスク**(11-13世紀頃)→P66-69

10. **ゴシック**(12-14世紀頃)→P70-73

11. **ルネサンス**(15世紀初頭-16世紀後半頃)→P74-77

12. **バロック**(17世紀頃)→P78-81

13. **ロココ**(18世紀頃)→P82-85

14. **ロシア**(10世紀以降)→P86-91

15. **19世紀**(19世紀)→P92-95

16. **アーツ・アンド・クラフツ運動**(19世紀半ば-19世紀末)→P96-99

17. **アール・ヌーヴォー**(19世紀末-1910年代)→P100-103

18. **アール・デコ**(1910年代後半-30年代)→P104-108

029

エジプト

1 Egypt

永遠なる形

前3000年-前3世紀頃

特徴：象形文字・ヒエログリフ、明快で具体的、幾何学的、自然の写実、死後の世界、ロータス（蓮華）文・パピルス文

ヌゥとナクトミンの墓「死者を供養する人々」　前1365年頃／エジプト　天井にはロゼット（バラ花形）文、渦巻文が描かれている。

　エジプトでは紀元前6000年ごろ、農耕、牧畜がはじまったといわれる。紀元前4000年に先王朝時代、紀元前3000年に初期王朝時代、そして古王朝時代、中王朝時代、新王朝時代とつづく。しかし紀元前1000年以後、ペルシア、そしてアレクサンドロス大王の征服によってエジプトの時代は終わる。

　エジプト文明の特徴は、3000年にわたって、比較的安定した王国がつづいたことだ。そのことは、芸術としては、じっくりと同じ様式が熟成してきたことを示している。よくいえば、確固とした、永遠につづくかのような様式であり、

王家の谷・ホルエムヘブ王のカルトゥーシュ
前1300年前後／エジプト
カルトゥーシュとは古代エジプトで使われていたヒエログリフの文字（記号）の1つで、ファラオの名前を囲む曲線のこと。

ヘネタウイの外棺
前1039-前992年頃／アメリカ、メトロポリタン美術館蔵
古代エジプト人は、死者が死後によみがえるために肉体の保存が必要不可欠と考え、遺体を納める棺桶は、死者が来世で生活する場所としての住居を象徴している。
中段の絵は天空の女神ヌトが「真実」「正義」を表す2枚の羽を持っている。ミイラの神・山犬やスカラベ、霊験の象徴である2つの目などが描かれている。

　逆にいえば保守的で硬直した様式であった。
　エジプトの表現はくっきりして、具体的で明快である。すでに幾何学的なパターンを習得していたエジプト人は自然を写実的にとらえる表現を発達させた。その写実性は自然そのままではなく、幾何学的に様式化してとらえた。たとえば、人物の表現としては、頭は横から、肩は正面から、足は側面から描かれ、1つにまとめられた。植物でも、花は正面から、茎や葉は側面から描かれて合成された。
　自然の写実において注目すべきなのは、エジプトが死後の世界を信じる宗教社会であり、物はこの世とあの世の二重の意味を持つ象徴主義の世界に生きていたことである。エジプトで、ヒエログリフ（聖なる絵文字）が発明された。ヒエログリフはことばであり絵である。エジプトの装飾文様の形は、象徴であり、字として見られた。
　特に動物文様は神聖な象徴として使われた。わしや鷹、コブラ、スカラベなどが描かれ、また動

王家の谷・ラムセス6世の墓　通路と天井の壁画　前12世紀頃／エジプト

　物や円盤に翼や羽をつけた文様がつくられた。
　エジプト文様の典型ともいわれるのはロータス（蓮華）文で、すべての文様の母といわれ、エジプトのロータス文からあらゆる文様が発生したとする説が出されたこともあった。他にパピルス文も発達した。ロータスやパピルスという水草の文様が好まれたのもエジプトらしい。ナイルの洪水で沈み、またあらわれる水草は、生命の甦りを象徴するものとされたのである。
　エジプトほど同じ様式がほとんど変わらずにつづいた文明はなかった。それだけに、エジプトのモチーフは固定的で、独立し、流動性や変化に欠けるところがある。静的で永遠なる形であった。

クヌム神殿のパピルス文様とロータス文様の柱群
前3世紀／エジプト

ネブアメンの墓の壁画　前1350年頃／イギリス、大英博物館蔵
ナイル川で鳥猟や魚釣りを楽しむ人々。「悪の撃退」という象徴的な意味が込められている。

シトハトホルリウネト王女の胸飾り
前1897-前1878年頃／アメリカ、
メトロポリタン美術館蔵
トルコ石、ラピス・ラズリなど372個の小片でできている。モチーフのハヤブサやパームの枝を持つ神は、王の長寿を願うというヒエログリフの単文を表す。

メソポタミア

生成し、連続する文様

前3000年 - 前4世紀頃

特徴：楔形文字（クネイフォルム）、流動的、連続的、記号化、抽象化、ファンタジー化、パルメット文

チグリス、ユーフラテス両河の流域には、紀元前8500年頃に農耕牧畜がはじまった。紀元前3000年にはシュメール文化が発達した。しかしこの地域を含む西アジアは、さまざまな民族が流入してくるオープン・スペースであるため、エジプトのような安定した王国を維持することができず、シュメール、アッカド、と目まぐるしく王国が替わり、紀元前1000年頃にはアッシリア帝国が成立していた。

そのために、エジプトのような安定し、まとまった様式ではなく、流動的で、さまざまな異文化を混合した変化に富んだ様式があらわれた。どちらも自然を写実的にとらえた表現を発達させたが、エジプトはより写実的で、個別的、独立的モチーフを中心とするのに対し、メソポタミアはより抽象的な表現を展開した。そのちがいはエジプトのヒエログリフ（絵文字的）に対するメソポタミアの楔形文字（クネイフォルム）文字によくあらわれている。やはり絵文字から出発するが、楔形文字はより絵から離れ抽象化、記号化されている。メソポタミアの文様も、エジプトのロータスやロゼット

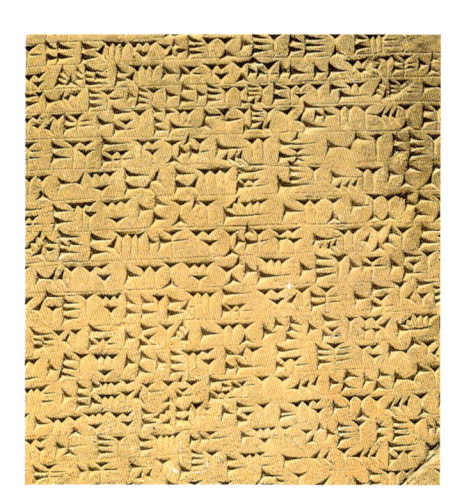

楔形文書「アッシュールナツィルパル2世の定礎」
前875-前865年頃／イギリス、大英博物館蔵

円筒印章
前7世紀／イギリス、大英博物館蔵
聖樹の上に有翼日輪、その両側をサソリ男（スコーピオン・マン）が支えている。その左には崇拝者、右には神が立ち、鹿とガゼルを抱いた英雄の姿も。

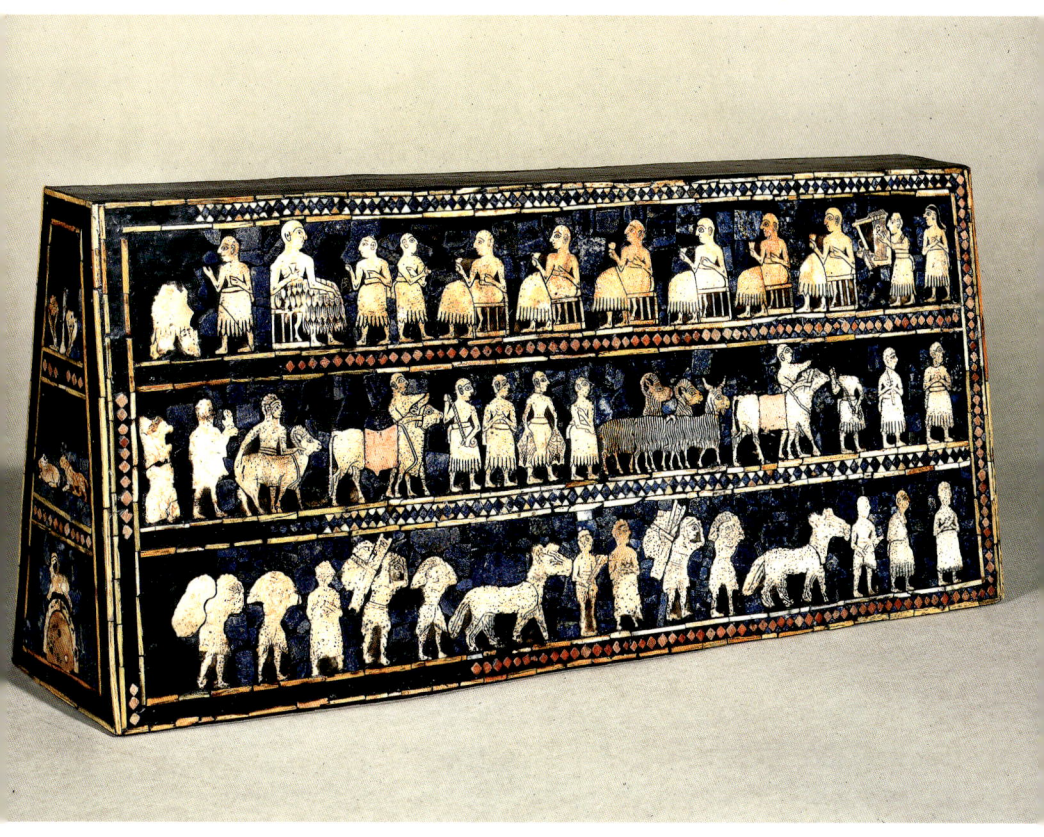

「平和　ウルの軍旗」　前2600-前2400年頃／イギリス、大英博物館蔵

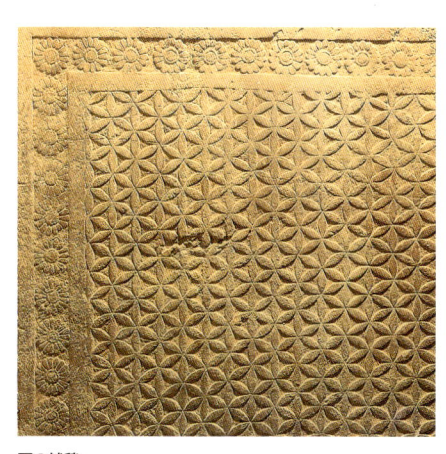

石の絨毯
前645-前640年頃／イギリス、大英博物館蔵
アッシュールバニパルの玉座の間から出土した敷居の一部。多数の円文・ロゼット文、その周りをロータスの花とつぼみが連なる。

(バラ花形)などの植物文様をとり入れるが、孤立したモチーフを並べるだけでなく、曲線でつなぎ、流動的、連続的文様としている。

　そのような流動性、連続性は、粘土板に押す印章の発達にも影響を受けている。印章により同じパターンがくりかえされる。さらに円筒印章がつくられ、円筒の表面に絵や文字、文様を刻み、それをころがして粘土板に帯状の絵や装飾を刻印する。回転による文様の展開が連続文様をつくり出すのである。

　アッシリアでよく知られたのはパルメットという文様である。パームツリー(シュロ・ナツメヤシ)のイメージからつくられたといわれる。パー

035

2 メソポタミア

ナラム・シンの戦勝碑
前2254-前2218年頃／
フランス、ルーヴル美術館
アッカドの王が攻撃に向けて兵を率いる。王はメソポタミアの神性を示す角飾りの兜をかぶり、上部の星は王の勝利を護る神々たる太陽・月・金星を表す。

イシュタル門（復元）
前580年頃／ドイツ、ペルガモン博物館蔵
アッシリア帝国が滅亡し新バビロニア王国が成立する。イシュタル門はその象徴となった。バビロンの女神イシュタル、ライオン、牛などが描かれている。

ムは手の平のことで、手の平を開いたように、5本（もっと多い時もある）の指のように分かれた葉が半円状に開いている。パルメットはエジプトのロータスからつくられたという説とメソポタミアでつくられたという説があり、はっきりはしない。硬い、直線的なフォルムはメソポタミアにおいて、やわらかい、曲線的な、連続的なパターンとなり、新しいものとなっている。

　動物文としては翼のあるライオンとか、人間と動物を合成したモンスターとか幻想的な動物がアッシリアでよく使われた。自然をいきいきと描写しつつ、ファンタジー化、抽象化するのが、メソポタミアの様式であった。

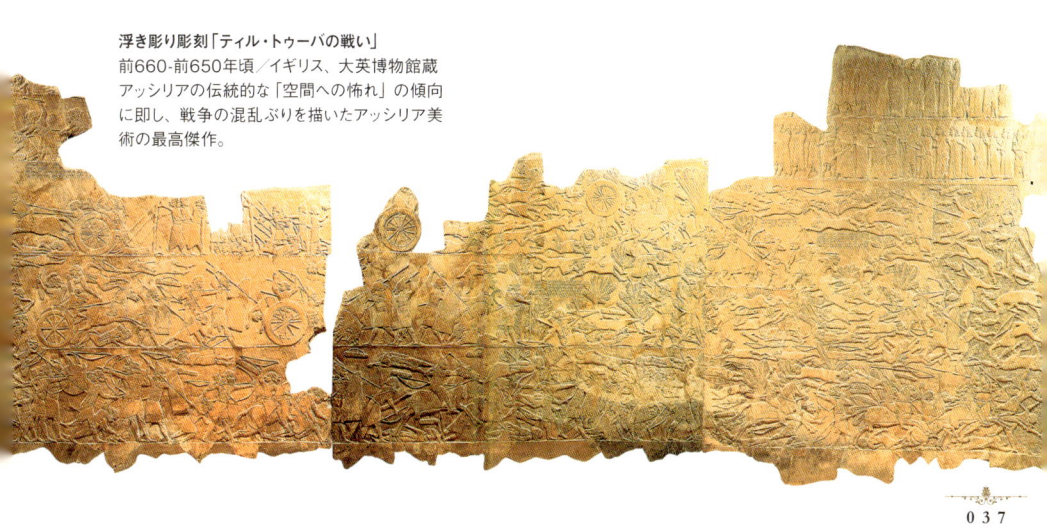

浮き彫り彫刻「ティル・トゥーバの戦い」
前660-前650年頃／イギリス、大英博物館蔵
アッシリアの伝統的な「空間への怖れ」の傾向に即し、戦争の混乱ぶりを描いたアッシリア美術の最高傑作。

ギリシア

3

唐草の誕生

前1200年–キリスト紀元頃

特徴：人間的、優雅な曲線、幾何学文（グリーク・キイ、ギローシュ（組紐文）、渦巻文、メアンダー（雷文））・アカンサス文・唐草文、モチーフをつなぐ

　装飾文様は、ギリシアにおいて、美しく、楽しく、人間的な親しさを持った、私たちすべてが使える世界の共通遺産となった。ギリシア文明の起源となったのは、クレタ島を中心とするエーゲ海文明である。紀元前2600年頃、クレタ島に青銅器文化がはじまった。ギリシア神話の主神ゼウス（ユピテル、ジュピター）はこの島に生まれたという。クレタ島の文明はミノス文明といわれ、エジプト、メソポタミア文明を吸収しながら、海のイメージ（たこや魚、海蛇、海藻、波などの曲線）のいきいきとした動きを伝え、特に女性の優雅な曲線イメージを出現させた。

　エーゲ海の文明は紀元前1600年頃から、ギリシア本土のミケーネ文明に受け継がれる。しかし紀元前1200年頃、北からドーリア人が入ってきて、イオニア人とともに、〈ギリシア〉の時代がはじまる。

　ギリシア美術の時代区分はいくつかの説があるが、大きくは、アルカイック、クラシック、ヘレニスティック（ヘレニズム期）の3つに分ける。そして、シンプルで力強いドーリア式と優

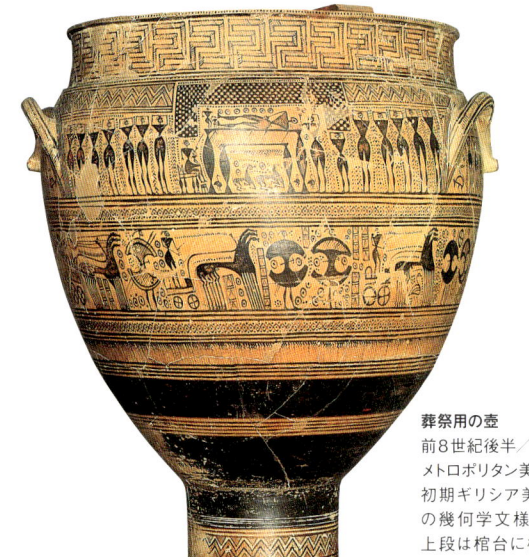

葬祭用の壺
前8世紀後半／アメリカ、メトロポリタン美術館蔵
初期ギリシア美術様式の幾何学文様が特徴。上段は棺台に横たわる死者と哀悼者たち、下段は戦士たち。

胸飾り
前6世紀後半／アメリカ、メトロポリタン美術館蔵
アルカイック時代。モチーフは有翼の太陽円盤で、エジプトに起源を持つ。

がく形カクテル
エウフロニオス、エウクシテオス作／前515年頃／アメリカ、メトロポリタン美術館蔵
アルカイック時代。把手が花のがくのような形をしているため「がく形」という。トロイア戦争にて、大神ゼウス（ユピテル、ジュピター）の息子サルペードーン（サーペドン）はトロイアの応援に駆けつけるが、ギリシアの英雄アキレウス（アキレス、アキリーズ）の友人パトロクロスの手にかかり戦死する場面が描かれている。

雅で装飾的なイオニア式という2つの流れを持った。男性的様式と女性的様式とも見られる。それぞれ、スパルタとアテナイを中心とする。

アルカイック時代（前1200-前450）は前半（前1200-前700）は、ミケーネ文化が滅んで、ギリシア文化が確立するまでの過渡期で、幾何学様式の文様が発達する。後半のアルカイック様式が成立した時代には、人像彫刻が発達し、自然の写実に向かっている。人像はアルカイック・スマイル（古式の微笑）を浮かべている。自然な人間的表情を表現できるようになる前のスタイルである。

クラシック時代（前5世紀後半-前4世紀）でギリシア文化は完成される。

「ギリシア人は、象徴的意味や自然の再現に

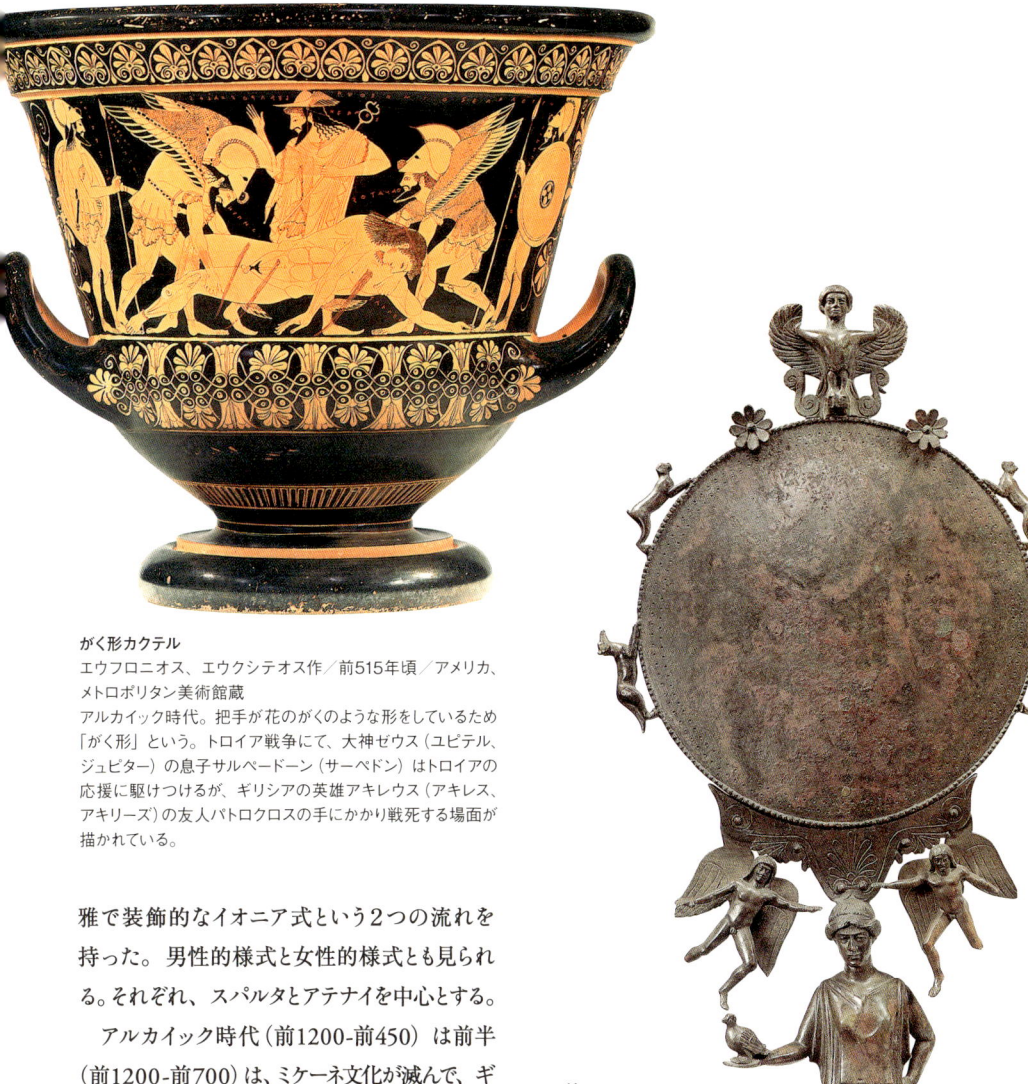

鏡
前470年頃／アメリカ、メトロポリタン美術館蔵
アルカイック時代。台座は3つのライオンの足、右手に鳥をのせた女性、空飛ぶエロース（クピド、キューピッド）とパルメット文で鏡が支えられ、鏡の縁には猟犬がうさぎを追っている。頂部は怪物セイレーンとロゼット文。

039

ゼウス神殿の柱頭装飾　前5世紀頃／ギリシア　コリント式柱頭装飾に多く見られるアカンサス文。

とどまらず、形の純粋な美しさや線の動きの面白さを楽しんだ最初の人々であったと思われる」（A・D・F・ハムリン『装飾文様の歴史』1916）

　ヘレニズムの時代（前3世紀からキリスト紀元まで）、アレクサンドロスの東方遠征によって、ギリシア文化はオリエントに運ばれるとともに自らの時代を終える。

　ギリシア装飾は、建築と陶器において発達した。エジプトのロータス（蓮華）、メソポタミアのパルメットなどが集められ、空間的に再構成された。アカンサス、アンテミオン（ニンドウ

「ディアドゥメノス」
前440-前430年頃／アメリカ、メトロポリタン美術館蔵
クラシック時代の大理石像。ディアドゥメノスとは、優勝のしるしに頭にはちまきを巻いた若い競技者像のこと。

文)などの植物文様、グリーク・キイ(フレット、雷文(らいもん))、ギローシュ(組紐文)、渦巻、メアンダー(雷文)などの幾何学文など文様のヴォキャブラリーがそろった。

またギリシア装飾は、建築や陶器のどの部分に使われるかを意識し、フレームやボーダーのデザインが発達した。そして最も重要なのは、モチーフをつなぎ、どこまでものびていく、つる草のような曲線を装飾原理として完成させたことで、このつる草(私たち日本人はそれを〈唐草〉と呼んでいる)の曲線は、その途中にあるモチーフを派生させながら、世界中にのびていったのである。

葬祭用の壺
前3世紀初頭／アメリカ、メトロポリタン美術館蔵
ヘレニズム時代。3人の随伴者が花嫁を囲む。華やかな多彩色が用いられたのはギリシア陶器史上これがはじめて。

クノッソス宮殿遺跡の壁画「雄牛跳び」(エーゲ海文明)　前16世紀頃／ギリシア

ローマ

帝国の秩序を見せる

前753年-後4世紀頃

4 Rome

特徴：華美な装飾、シンメトリー、合理的空間、柱頭装飾（オーダー）、アカンサス文・唐草文・グロテスク文、モザイク

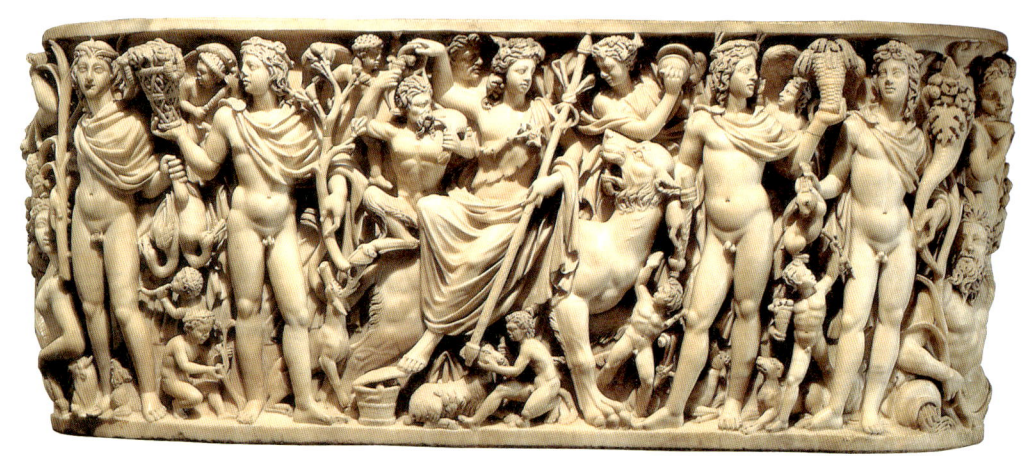

石棺　260-270年頃／アメリカ、メトロポリタン美術館蔵　豹に乗ってインドから凱旋する酒神ディオニュソース（バックス、バッカス）と四季の擬人像を表した大理石彫刻。

　ローマは紀元前753年に建国されたと伝えられる。紀元前510年に共和政となり、紀元前27年に帝政となり、ローマ帝国が出現した。ローマ文化はギリシア文化を受け継いだが、帝国の繁栄により、ぜいたくで華美な装飾を発展させた。壮大な建築物がつくられ、過剰にちりばめられた装飾が帝国の栄光を輝かせていた。

モザイク画「ヒッポカンポスに乗るネーレーイス」
138-180年頃／アメリカ、メトロポリタン美術館蔵
上半身が馬で下半身が魚の怪物ヒッポカンポス（海馬・ヒッパンパス、シーホース）に乗って波間をただよう海の精ネーレーイス（ネレイド）。

ギリシアの装飾文様は、より大きな複雑なスケールで構成され、広大なローマ帝国の隅々にまで伝えられた。建築は複雑化し、その細部に合わせて装飾が工夫された。
　グリーク・キイ（フレット、雷文（らいもん））、アカンサス、アンテミオン、ロゼット（バラ花形）などのギリシア文様は、より複雑な葉の形、大きな渦巻文などに発展した。ローマでは、左右上下のシンメトリーが強調され、合理的

アラ・パキス・アウグスタエの側面装飾（アカンサス文様）
前9年頃／イタリア、アラ・パキス博物館蔵

アラ・パキス・アウグスタエ（アウグストゥスの平和の祭壇・復元）
前9年頃／イタリア、アラ・パキス博物館蔵
初代ローマ皇帝アウグストゥスの凱旋を記念し、元老院が奉献した祭壇。白い大理石の外壁は人物群や唐草文様、アカンサス文様の彫刻で伝統的なローマの敬虔さを表現している。

で、整然とした空間構成が好まれた。逆にあまりにきちんと整えられているので、アンバランスな流動性には欠けるところがある。ローマのきちんとした豪華な文様は、ちょっとくずれた、気楽な自由さ、流動性の点では物足りない。

しかし、ギリシアが発見した線や連続性、シンメトリーの構造は、ローマにおいて、徹底的に研究され、あらゆるヴァリエーションが見つけられた。ギリシア文の世界的な広がりは、ローマのおかげであるといえる。

ローマの装飾が最も華やかだったのは、柱頭の飾り（オーダー）においてであった。ギリシアのオーダーの飾りとして一番派手であったコリント式はさらに大きく重層的になり、樹葉がぎっしりと茂る柱頭がつけられた。

アカンサス文では、アカンサス葉がより大きく厚く、細かく描写され、立体的に彫られるようになった。ギリシアの唐草（フランス語ではランソー）は、ローマではぎっしりと葉の茂った唐草文へと発達した。さらにローマでは唐草にさ

1　ボスコレアーレの別荘の寝室
前40年代／アメリカ、メトロポリタン美術館蔵
壁には奇想を凝らした円柱の列や女神、銀めっきや宝石をちりばめ描かれている。床はモザイク画。

2　カメオ
41-54年／アメリカ、メトロポリタン美術館蔵
アイギスをまとった皇帝アウグストゥスの肖像。アイギスとは、ゼウス（ユピテル、ジュピター）が娘のアテーナー（ミネルワ、ミネルヴァ）に与えた防具で、鱗のまわりに蛇がとぐろを巻き、見る者を石に変えてしまう怪物メデューサが飾られている。

3　モザイク画「ポセイドーンとアンピトリーテー」
1世紀頃／イタリア
ポセイドーン（ネプトゥヌス、ネプチューン）とアンピトリーテーの館内にある夏の食堂の壁画。

まざまな動物や人間をちりばめるグロテスク文を好んだ。これらの空想的なグロテスク文は、ルネサンスの時にリヴァイヴァルする。

　ローマでは床などにモザイクが使われた。床面を埋める幾何学的なモザイク文様が発達した。

中国

怪獣文と唐草

前2000年以降

特徴：幾何学文・怪獣文・動物文・唐草文、呪術的、土器・青銅器、
　　　シルクロード、絹織物

　中国では紀元前6000年頃に農耕・牧畜がはじまった。新石器時代の仰韶（ヤンシャオ）文化で、幾何学文による彩陶といわれる土器がつくられた。紀元前2000年には夏王朝があらわれ、青銅器時代に入った。つづいて殷（いん＝商、前16-前12世紀）、周（前11-前3世紀）などの国がつづく。その後、春秋戦国といわれる混乱期の後、秦（前221-前207）、漢（前202-後220）の王朝が建てられる。そして唐（618-906）によって、中国の中世に入る。

　青銅器時代には、動物文が中心である。入り組んだ迷路のような幾何学文に、動物、特に怪獣の頭や身体がはめこまれ、呪術的な獣面文（饕餮文・とうてつもん）がつくられている。このような怪獣文は、中央アジアの騎馬民族に見られるもので、彼らの移動とともにヨーロッパにも伝えられている。ケルトと中央アジアの騎馬民族のデザインはつながっているのだろうか。

罐（かん）
前9-前8世紀頃／中国、虢国博物館
下部の圏足にはウロコのような文様、胴部には龍の文様。つまみは鳥の頭をかたどっている。

扁足鼎（へんそくてい）
前11-前10世紀頃／中国、河南省文物考古研究所蔵
料理を祭壇に供える器。脚の龍が発する神聖な気を表すかのように周りには渦巻文様がほどこされている。

動物文を中心とする中国文様に、やわらかい植物文様はいつからあらわれるのだろうか。おそらく漢から唐にかけての時代、つまり〈シルクロード〉といわれる絹織物の交易路が発達した時代からではないかと思われる。植物文様は、青銅器よりは織物においてこそその魅力を放つことができるのだ。シルクロードによる文化交流によって、ギリシアで発明され、ローマで完成された唐草が東方へ発信される。それは漢、そして唐、さらには日本の奈良にまで達するのである。
　そして唐草文様を織り出した絹織物が西へ

咸陽宮銀盤（かんようきゅうぎんばん）
前475-前221年頃／中国、中国歴史博物館蔵
秦の都・咸陽の宮廷で使われたとされる器。全体に金メッキの龍文様。

天井画「蓮華飛天藻井（れんげひてんそうせい）」 618-907年頃／中国、中国歴史博物館蔵
蓮華の花を中心に、4体の飛天（仏教で諸仏の周囲を飛行礼賛する天人）が飛びまわり、その周りをぶどうと蓮華の植物文様が縁どっている。

5 中国

銀製十花形杯（ぎんせいじっかがたはい）
8-9世紀頃／中国、洛陽博物館蔵
10枚の花びら形の酒杯。唐の時代は西洋からさまざまな文物が伝わり、中国の金銀食器にも大きな影響を与えた。

と送られゆく。青銅器の怪獣文は、ある限られた地方の象徴として限定的であるが、草花などの植物文様は、制作された土地を超えて、世界中で愛される。文様の特殊性と共通性が綾なしている面白さをそこに見ることができる。

　中国さらに日本などのアジアの文様は、シルクロード、十字軍などによる東西文化交流によってヨーロッパに伝えられていたが、18世紀に新しい流行を見せた。その曲線文、格子文、草花文などはシノワズリ（中国趣味）と呼ばれ、ロココ様式に重要な影響を与えた。シノワズリにつづいて、19世紀にはジャポニスム（日本趣味）がヨーロッパに入った。〈中国〉は、ヨーロッパの彼方の、おとぎの国と考えられ、その装飾文様は、エキゾティックで空想的なイメージをかきたてたのである。

香炉
8-9世紀／中国、河南省文物考古研究所蔵
六花の低い円筒形で、全面に花や葉の線刻文様があしらわれている。

タペストリー
1720-50年頃／イギリス、
ヴィクトリア＆アルバート美術館蔵

皿
1660-75年頃／
イギリス、
ヴィクトリア＆
アルバート美術館蔵

ペルシアとイスラム

平面の数学

🕮 前550年以降

特徴：平面的、幾何学文・植物文・唐草文、複雑な曲線、オール・オーヴァー・パターン、『コーラン』、モスク、ミニアチュール、ペルシア絨毯

メソポタミアの東、イラン高原のペルシアはアケメネス朝（前550-前330）とササン朝（後226－後651）という2つの王朝にわたって文化を花咲かせた。アケメネス期は、エジプト、アッシリア、ギリシア文化を受け継ぎ、動物文ではライオン、植物文ではロゼット（バラ花形）、ロータス（蓮華）、パルメットが使われた。ササン朝の様式はシルクロードを通して唐に伝えられ、〈胡風（こふう）〉と呼ばれた。ササン朝ペルシアの文物は日本にも伝えられ、正倉院に所蔵されている。

ササン朝はアラビアによって滅ぼされ、651年以降、イスラム時代となる。メソポタミア、エジプト、ギリシアの文明を受け継いだイスラム文化は、当時の最先端の文化として、ヨーロッパに甚大な影響をもたらした。イスラム文化は、

イマーム・モスク
17世紀初頭／イラン

円形装身具
11世紀／アメリカ、メトロポリタン美術館蔵
金線細工の葉状唐草（アラベスク）文様が特徴的。

青銅の水差し
7世紀／アメリカ、メトロポリタン美術館蔵
猫のような形をした把手、口縁部は鴨の頭にかたどられ、胴部には花びら文。

『コーラン』　1855年／トルコ

シリアとエジプトでサラセン式、アラビア式、モロッコとスペインでムーア式、トルコでオットマン式などといわれた。

　イスラム美術では『コーラン』が人物や動物を写実的に描写するのを禁じているので、幾何学文、植物文のみが異常なほど発達した。抽象的な、数学的ともいえる複雑な曲線文がつくり上げられた。ヨーロッパではそれを〈アラベスク〉と呼んだ。オール・オーヴァー・パターン（四方連続で、平面に無限

『コーラン』の台
1360年／アメリカ、メトロポリタン美術館蔵
糸杉の装飾の上に預言者ムハンマドと12イマーム（イスラム教の指導者）への祝福の言葉が彫られている。

イラン神話のミニアチュール　1550年代／アメリカ、イラン・マスター・フリー・ギャラリー・オブ・アート蔵

052

عزیز مصر را چو حق گذاری / یعنی بوشنا آن عماری
طبقهایی زر از در مروار / که از کوه مرو در

کر دیدن بر و صاحب نثاران / پس تحفه در زر و گوهر نثار شد
عماری در زر و گوهر نهان شد / مجوز طرف بهمن برعجم داران

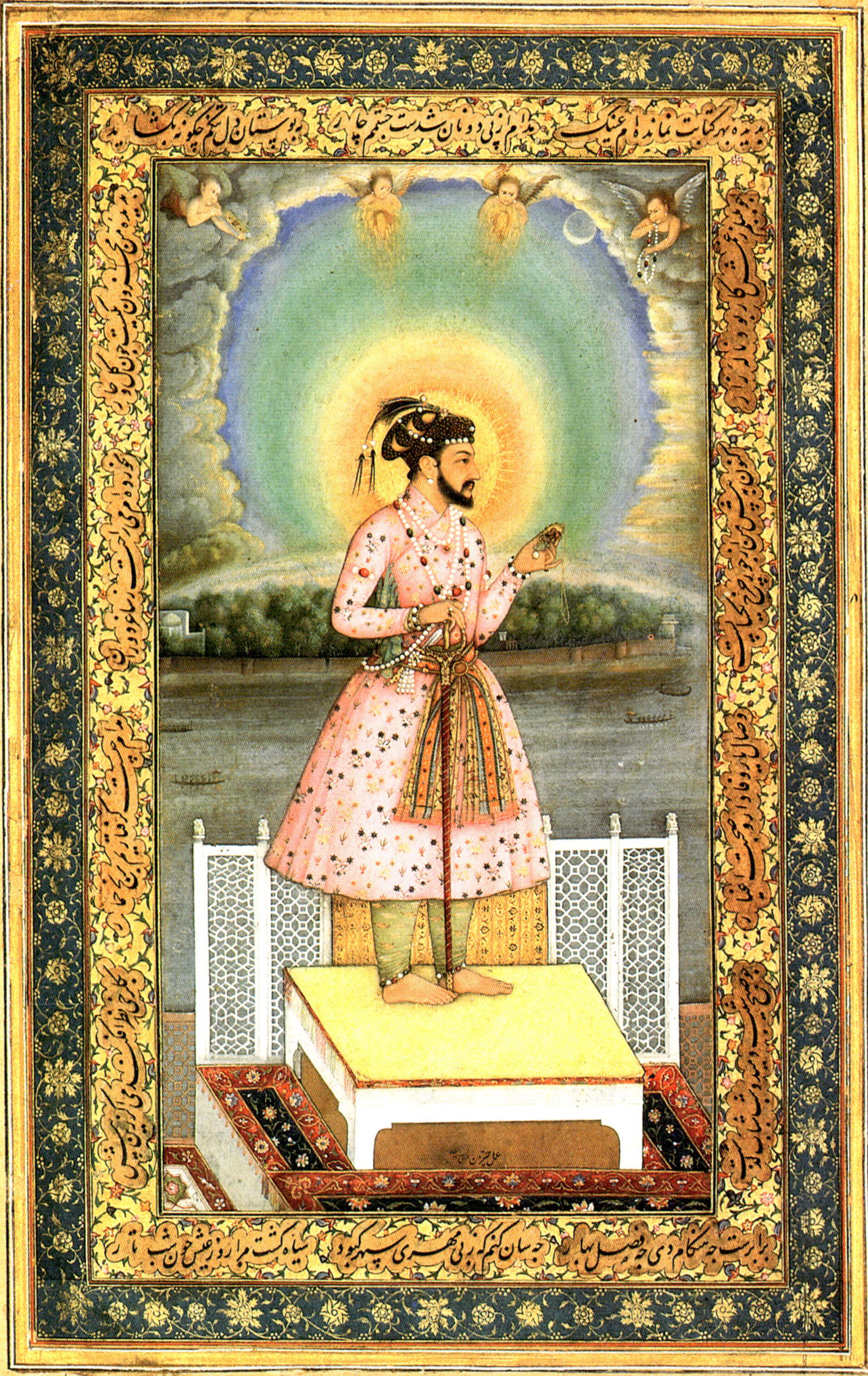

（左ページ）
「光輪をいだくシャー・ジャハーン」
1627-28年／アメリカ、メトロポリタン美術館蔵
インドのタージ・マハルを建築したことでも有名なムガル皇帝シャー・ジャハーンの金彩肖像画。

1　絨毯
16世紀／アメリカ、メトロポリタン美術館蔵
中央の星のまわりにあるメダイヨンの中には、中国の鳳凰（フェニックスのような鳥）をモデルにしたスィームルグと龍がいる。花唐草も美しい。

2　フッカ（水パイプ）の瓶
17世紀後半／アメリカ、メトロポリタン美術館蔵

に広がっていくパターン）が構成されてゆく。ペルシア絨毯においてイスラムの平面文様は見事な空間を展開した。

　イスラム文様は、アジアのペルシアからモンゴル帝国へと広がり、西はスペインからヨーロッパへと広がった。

　絨毯、建築の表面に張る彩釉陶板、そしてミニアチュール（細密画）などがイスラム化したペルシアの装飾文様の活動舞台となった。野や庭に咲き乱れる草花がういういしく描かれ、そのまわりに装飾化されたアラビア文字が描きこまれた。ペルシア・ミニアチュールは、まるでこの世の楽園のような光景を見せてくれる。

　偶像崇拝を禁じるイスラム教は、人物や動物をあまり表現しなかった。特に宗教的な空間ではこのルールは厳密だった。世俗的な場合、たとえばミニアチュールの物語絵などでは人物や動物を描くのは認められたようだ。このルールにより、イスラム美術では彫刻が発達せず、装飾タイルなどの平面的な文様が花開いたのである。

ケルト

神秘の組紐文

前5世紀-後11世紀頃

特徴：妖精世界、曲線、渦巻文・組紐文、動物・鳥・蛇モチーフ、装飾写本、飾り文字、キリスト教

　紀元前5世紀頃からケルト族はヨーロッパに広がっていた。フランス、ベルギー、ドイツ、オーストリアにいた大陸のケルトとイングランド、アイルランドにいた島のケルトに分けられる。ケルトは中央アジアの遊牧民族の青銅器美術の動物文や組紐文と似たケルト文様を残した。大陸のケルトは、他の民族に吸収されていったが、島のケルトは、ローマ帝国化、キリスト教化を受けながら、より純粋なケルト様式を残している。

　ケルト文化は、キリスト教への改宗の中で、不思議な混合を遂げ、ユニークな様式をつくりあげた。異教的なケルトの英雄は、キリスト教化されながら、アーサー王伝説を育て、聖杯伝説をつくり出した。

　ケルトの文様の初期には、怪獣と組紐文の組合せが一般的で、ほとんど植物文様はない。しかし後期になると、組紐はつる草のように植物化し、葉や花を派生させて唐草化していく例が見られる。

　キリスト教化したケルト文化は、キリスト教会や十字架などの装飾に使われる。そして装飾写本においてすばらしい作品がつくられる。『ケルズの書』など修道院で制作された写本には、華麗な飾り文字のイニシャルが描かれている。

兜（一部複製）
前4世紀後半／フランス、アングレーム市立美術館寄託
頬当てに蛇の文様がほどこされた祭儀用。

盾
前350-前50年頃／イギリス、大英博物館蔵
川の神への奉納用。ケルト特有の渦巻文が印象的。

056

装飾写本『リンディスファーンの福音書』より「ヨハネによる福音書」の扉ページ（複製）　7世紀末-8世紀初頭／イギリス、大英図書館蔵

ケルト

装飾写本『ケルズの書』
8世紀末-9世紀初頭／アイルランド、トリニティ・カレッジ図書館蔵　『ダロウの書』『リンディスファーンの福音書』とともに3大ケルト装飾写本の1つとされ、アイルランドの国宝となっており、世界で最も美しい本とも呼ばれる。

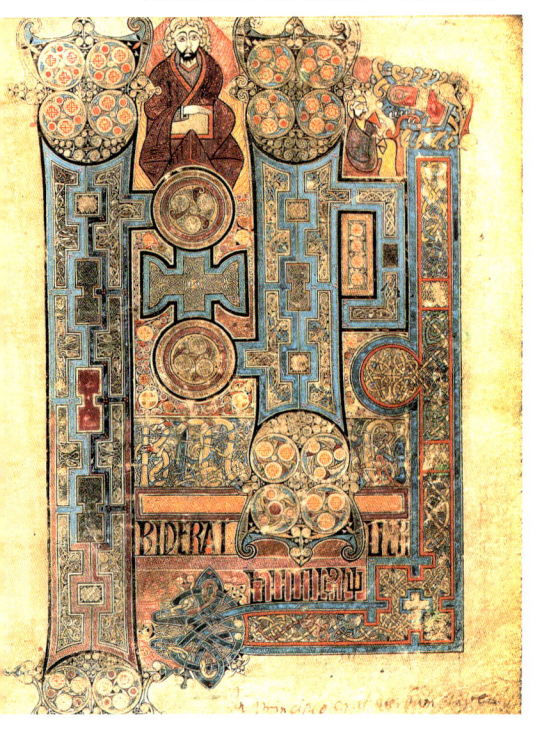

円すい形装飾部品
8世紀頃／スコットランド、スコットランド国立博物館蔵

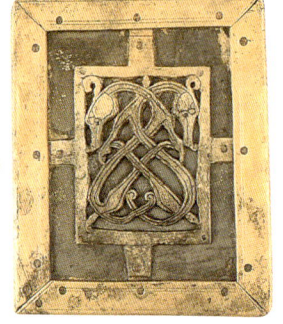

馬具の装飾部品
8世紀後半／アイルランド、アイルランド国立博物館蔵

そのようにキリスト教と融合することによって、ケルト様式は、逆に、ヨーロッパ中世のロマネスク、ゴシックなどの様式の源泉となった。

渦巻、結び目、組紐、様式化された動物、鳥、蛇などのケルト文のモチーフは、象徴的意味と形の面白さの両方を持っている。それは11世紀ぐらいまで使われていたが、異教的なものとして忘れられていった。19世紀後半にケルト・リヴァイヴァルがあり、オーウェン・ジョーンズの『グラマー・オブ・オーナメント（装飾の文法）』などでケルト文様の魅力が語られる。

そしてウィリアム・モリスがケルトの曲線とそのファンタジックな妖精の世界を甦らせる。モリスの影響を受けたグラスゴー・グループはチャールズ・レニー・マッキントッシュを中心として、ケルトを源泉とするアール・ヌーヴォー・スタイルをつくり出し、モダン・デザインへの道を開いた。

近代のメカニックなパターンが失ってしまったケルトの神秘的な渦巻や組紐のロマンは、あらためて文様とはなにかを問いかける。

装飾写本『リンディスファーンの福音書』より十字架のページ　7世紀末-8世紀初頭／イギリス、大英図書館蔵
ページ一面をすき間なく埋めつくす組紐文。所どころに鳥の文様も見える。

059

ビザンチン

絢爛たる装飾宇宙

5-15世紀頃

特徴：装飾過多、円蓋バシリカ方式、モザイク、ミニアチュール、聖像（イコン）

8 Byzantine

　395年、ローマ帝国は東西に分裂した。西ローマ帝国は476年に滅んだが、東ローマ帝国は1453年までつづいた。東ローマは古くからの都市ビザンチウムに首都コンスタンティノポリス（コンスタンティノープル、イスタンブール）を建設した。ローマに集められていたエジプト、メソポタミア、ギリシアなどの古代文明の遺産は東ローマに保持され、その後のヨーロッパ文明の源泉になった。ヨーロッパはビザンチン（東ローマ）美術から、東方やギリシアの先進的な文化を学んだのである。ケルト、ロマネスク、ゴシックなどのヨーロッパの様式は、ビザンチンの影響を受けた。

　東ローマが最も繁栄したのは6世紀である。ユスティニアヌス帝がハギア・ソフィアなどの壮麗な教会を建築した。7世紀からアラビアのイスラムが地中海に進出してくる。その影響を受けて、聖像（イコン）破壊運動が起きる。イスラムにおける偶像崇拝の禁止は東ローマではやっていた聖像崇拝への反対を呼び起こした。そのため7、8世紀にビザンチン美術は低調となる。しかし9世紀には復活し、11世紀にかけて、ヨーロッパやアジアに広がり、ロシアから東欧にかけての地方美術に刺激を与えた。

　ビザンチン美術は建築、工芸、写本の装飾を中心としている。作者の名は知られていな

ハギア・ソフィア大聖堂の柱頭装飾
350-360年頃／トルコ
アカンサス文様にユスティニアヌス帝のモノグラム（文字記号）。

ハギア・ソフィア大聖堂（内部）　350-360年頃／トルコ　巨大なアーケードはビザンチン美術最初の黄金時代を代表する建築装飾。

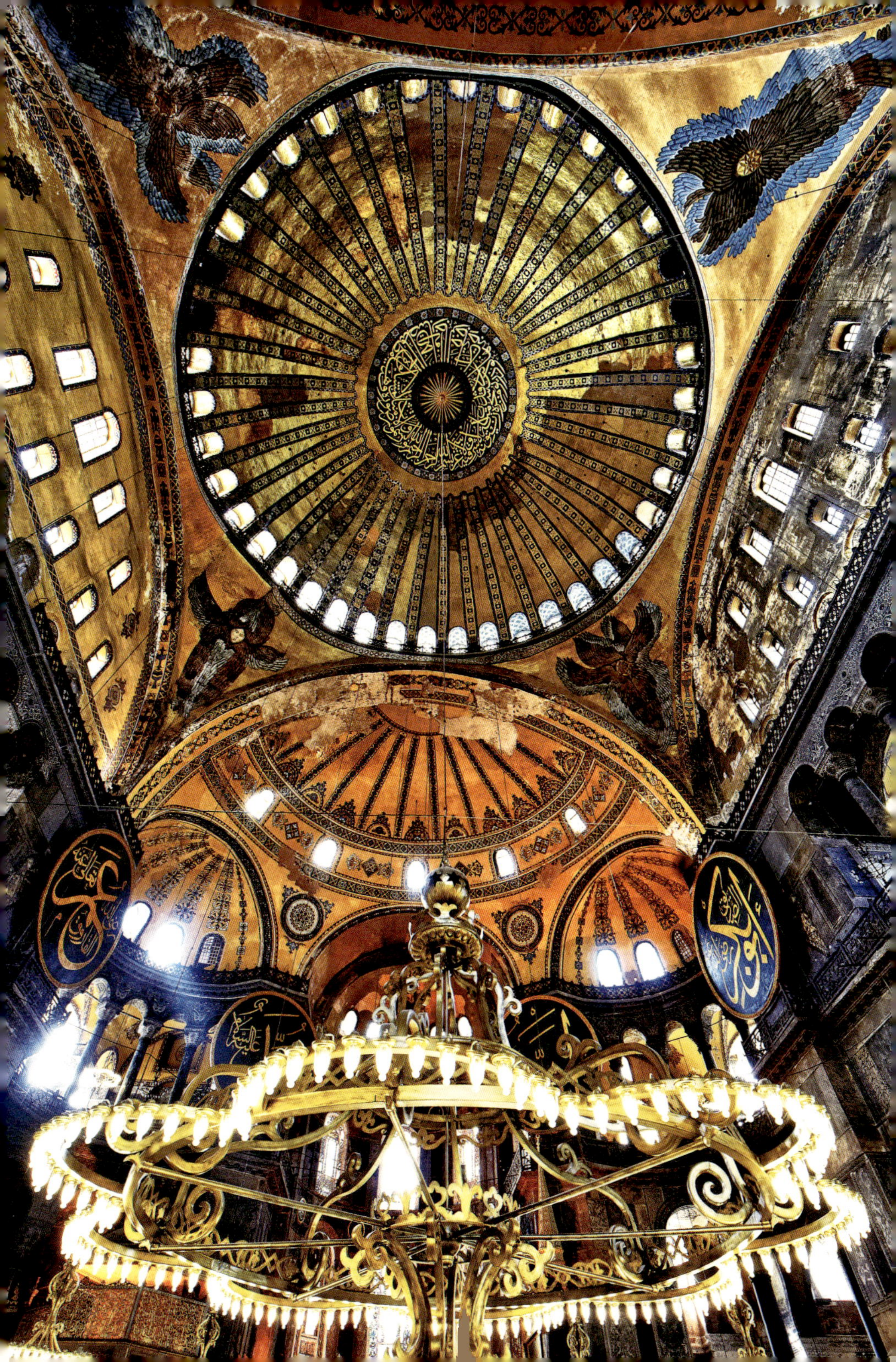

8 ビザンチン

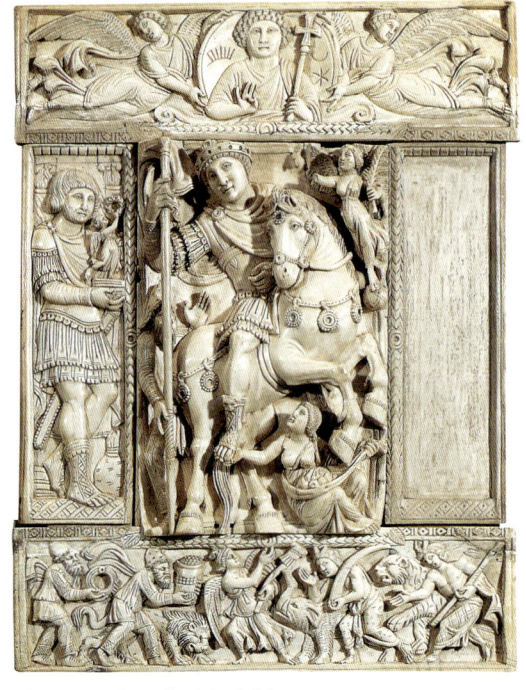

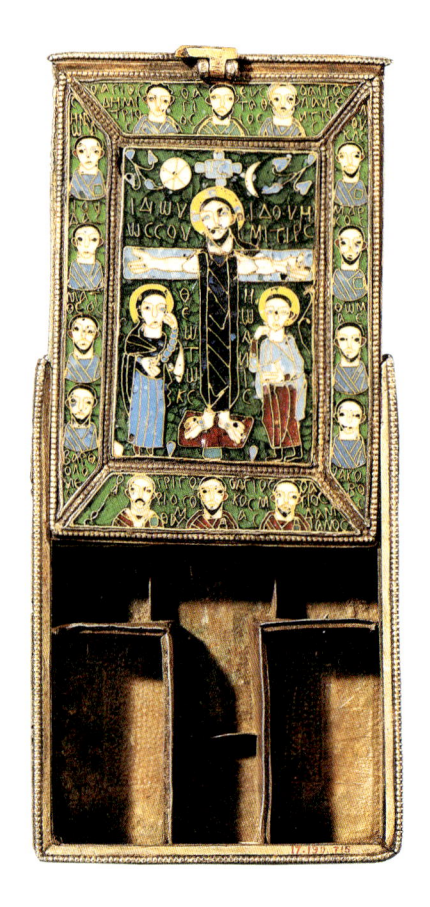

バルベリーニの象牙板「勝利する皇帝」
6世紀前半／フランス、ルーヴル美術館蔵
中央にはおそらく凱旋するユスティニアヌス帝、上部にキリスト像。

「真の十字架」の聖遺物匣（こう）
9世紀頃／アメリカ、メトロポリタン美術館蔵
右上は蓋を半分開けた状態で、蓋には「磔刑（たっけい）」の場面が装飾され、中には十字架の形に並べられた仕切りがある。右は匣の側面。

い。その様式は、それまでのエジプト、メソポタミア、ギリシアの様式のごった煮で、あらゆるモチーフが入っている。また、空間は、すき間なく装飾でおおいつくされている。その典型が柱頭装飾で、柱の上部は、ぎっしりと装飾に埋めつくされ、目が迷ってしまうほどだ。

　ヨーロッパ写本芸術の基礎をつくったのは

フィビュラ（留め金）
7-8世紀／アメリカ、メトロポリタン美術館蔵
洋服を固定するための装飾品。ブローチ。

062

サンタポリナーレ・ヌオヴォ聖堂のモザイク画
5世紀後半-6世紀初頭／イタリア
3人のマギ（三博士）に導かれ聖母子のもとに向かう22人の聖女の殉教者たちの参列。

装飾写本『ウィーン創世記』
5-6世紀頃／オーストリア、オーストリア国立図書館蔵
世界最古の写本。アダムとイヴの原罪からヤコブの死にいたるまでが描かれている。

8 ビザンチン
Byzantine

サン・ヴィターレ聖堂（内部）　5-6世紀／イタリア

サン・ヴィターレ聖堂の天井モザイク画
5-6世紀／イタリア
中央の神である子羊を4人の大天使が支えている。キリスト教では子羊は汚れのない無垢な存在、また「犠牲としての羊」を表し、キリスト自身が十字架を持つ子羊の姿で描かれることもある。

ビザンチンである。東ローマは、写本制作の中心であったアレクサンドリアでつくられた本をコンスタンティノポリスに集め、それをコピーしてヨーロッパに伝えた。『ウィーン創世記』（5世紀）がその例である。さらに、地方の修道院に写本制作が広まり、ヨーロッパ中世の彩色写本の文化が花開いていくのである。
　ビザンチンのモザイクも装飾美術の宝庫であった。〈空間への怖れ〉などといわれる、すき間なく埋めつくしていく傾向は、地文（じもん）や縁飾りなどを発達させた。そこでも古い文様が集積され、再構成された。

065

ロマネスク

ヨーロッパ様式の誕生

🖋 11-13世紀頃

特徴：ヨーロッパで最初の様式、彫刻、アシンメトリー、水平的、
物語のある装飾、建築的な秩序、さまざまな様式の装飾文様の引用

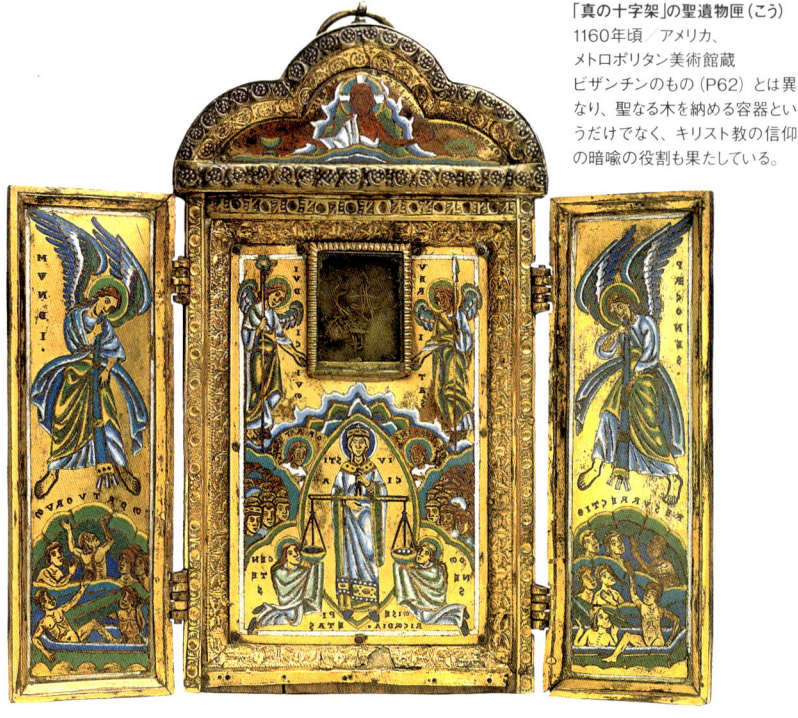

「真の十字架」の聖遺物匣（こう）
1160年頃／アメリカ、
メトロポリタン美術館蔵
ビザンチンのもの（P62）とは異なり、聖なる木を納める容器というだけでなく、キリスト教の信仰の暗喩の役割も果たしている。

　6世紀から10世紀まで、ヨーロッパではまだ様式といえるものはなかった。ケルトなどの古文化を利用したり、ビザンチンに学んだりしていたが、ヨーロッパ独自のスタイルは見出していなかった。

　11世紀になってヨーロッパは最初のヨーロッパ様式、〈ロマネスク〉を出現させる。まず目立つのは彫刻の復活である。ロマネスク彫刻は、建築空間を飾るためのものであった。彫刻は独立しているのではなく、建築装飾として、建築の構造と枠組の法則、様式の体系に従っていた。たとえば支柱、開口部、アーチ、タンパン（入口のアーチの下の半円状の壁）といった建築の構成要素に仕切られた空間が与えられ、それに合わせて彫刻がほどこされた。ビザンチンではそこは、幾何学的文様で埋められていたが、ロマネスクでは、彫刻がはめこまれ、枠に合わせて、身体をくねらせ、変形された。それらのポーズは、無意味なパターンではなく、ある物語のシーンを

ダラム大聖堂（内部）　1093-1128年／イギリス　はりを肋骨状に並べたアーチ形の

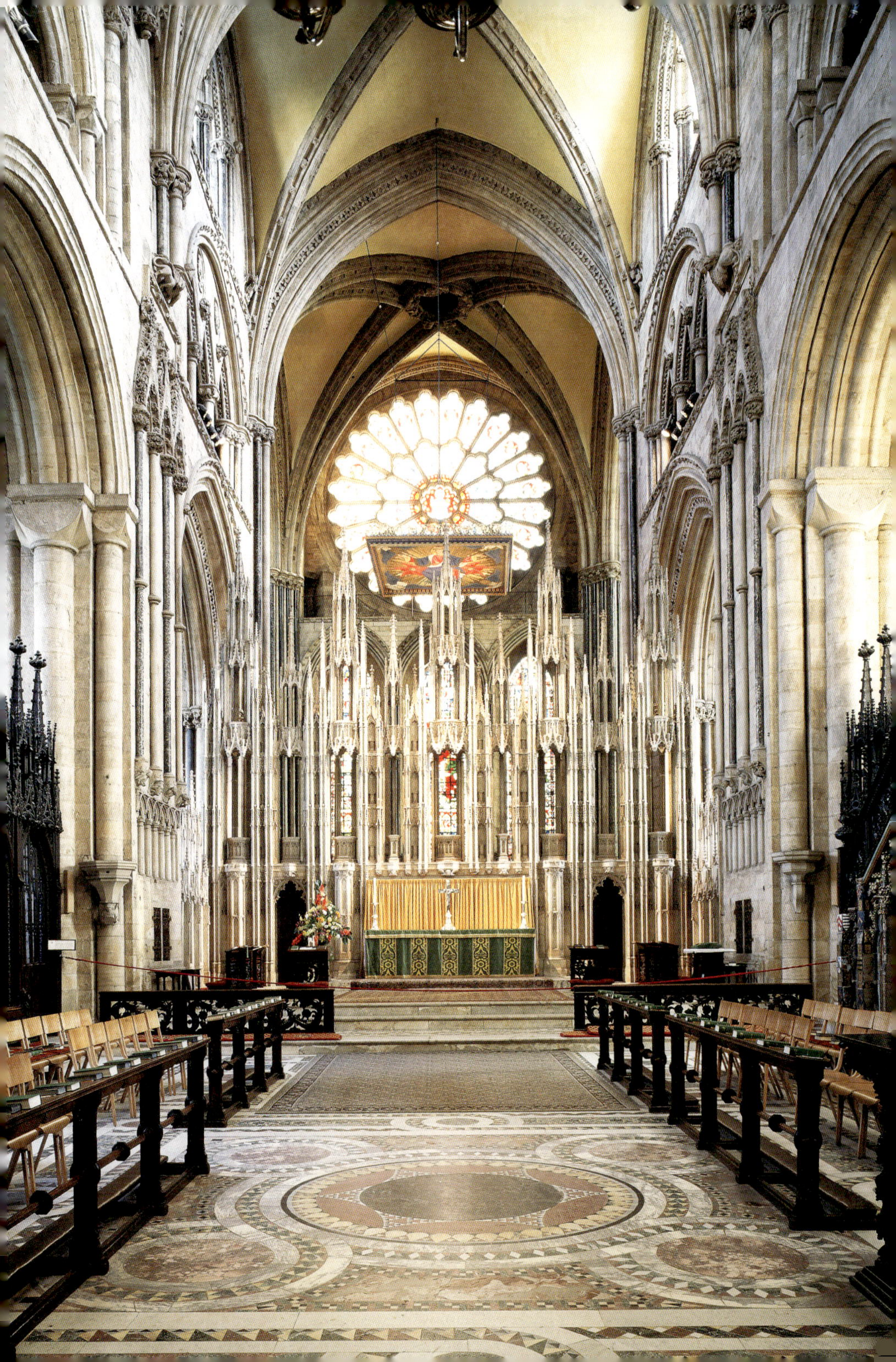

9 ロマネスク

1　装飾写本『道を知れ』より
「天使の合唱団」
ヒルデガルト・フォン・ビンゲン
著／1153年頃／ドイツ

2　フラベラム（典礼用扇）
1200年頃／アメリカ、
メトロポリタン美術館蔵
アカンサス文、パルメット文、
宝石をはめた豪華装飾。

（右ページ）
装飾写本『ユダヤ古代誌』より
「天地創造」
フラウィウス・ヨセフス著／
1170年頃／ベルギー

1

示すものとなった。ロマネスクは、建築の装飾スペースを本の挿絵のように語るものとし、いわば建築を1つの巨大な本のように、その各部分を頁をめくるように見せたのである。

　11世紀から12世紀にかけて、ヨーロッパでは多くの教会が建てられ、ロマネスク様式で飾られた。それは共通の精神を持っていたが、地方ごとにさまざまな変化を見せ、単調ではなかった。その理由は、その装飾文様が意味のない装飾文様ではなく、それぞれがちがった物語を語る絵本のように構成されていたからではないだろうか。ロマネスクの教会は、それぞれの物語を読むことができる絵本であり、その入口の上や壁のフリーズ（壁上部の装飾部分）をたどりながら、それぞれのスペース（頁）でいきいきとドラマを演じている怪物や人間を見ることができたのである。

　ロマネスクの装飾では、本の表紙に当たる入口前部の上部の半円スペースが重視された。ここには「最後の審判」などの劇的なシーンが刻まれた。彫刻のフレームには、ケルト、ビザンチンなどからとり入れた文様がぎっしりとつめこまれた。ヨーロッパはロマネスクの時代に、世界の古代からのさまざまな装飾文様を自在に引用できる地点に達したのである。

　ロマネスクは建築的構造によって秩序立てられた様式である。食器とか宝飾品のような小さな工芸品も、建築的な秩序の下に飾られている。

2

PRINCIPIO CREAVIT
DEUS CELV E TERRAM

ゴシック

自然の再発見

10
Gothic

12-14世紀頃

特徴：自然主義・ナチュラリズム・ヒューマニズム、グロテスク、尖頭アーチ、交叉オジーヴ、フライング・バットレス、バラ窓、シンメトリー

シエナ大聖堂　12世紀末-14世紀末／イタリア

　ゴシックは12世紀にイール＝ド＝フランス地方（サン・ドニ、サンス）にはじまり、13、14世紀にヨーロッパ全体に広がる。ロマネスクが水平的であるのに対し、ゴシックは垂直線であるといわれる。ロマネスク建築は、重厚で、厚い壁を持つが、ゴシックは壁を薄く、少なくし、高層化し、大きなガラス窓を持つ。尖頭アーチ、交叉オジーヴ（十字に交叉するアーチで建築物を支える）、フライング・バットレス（飛梁（ひりょう）壁、壁を支える側柱）などがゴシック建築の特徴といわれる。

そして、ゴシックで忘れてならないのは、自然に対するいきいきとした観察である。ロマネスクは、過去の古い様式、装飾文様のヴォキャブラリーを総ざらいしたともいえるだろう。ケルトからエジプトにいたるパターンの在庫が一挙に放出された。その上でゴシックは、あらためて自然にもどり、自然を見つめ直し、そこから新鮮なイメージをとり出そうとしたのである。ゴシックの葉や花は、過去の様式化されたパターンではなく、今、野や庭に咲き出しているかのように、いきいきとしている。彫像の人物も、やわらかく、人間的な表現を浮かべている。このようなナチュラリズム、ヒューマニズムがゴシックの精神なのである。

　過去の様式化、形式化から解放されて、自然へのういういしい眼をとりもどすことが求められた。死んだ形が生きた形へと変換された。

　ルネサンス以降の近代化で、ゴシックの自然主義は忘れられてしまう。ゴシックはクラシック（古典的）とは反対の奇妙なスタイルとされる。19世紀になって、ゴシックへの興味が甦ってくる。中世の職人の手工芸の魅力が、

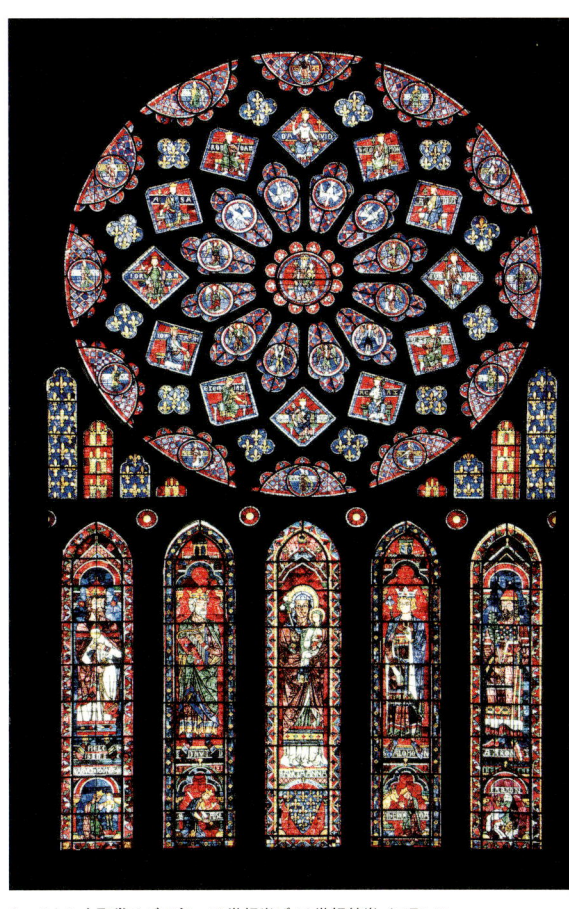

タベルナクル（天蓋つき壁龕（へきがん））
ベルヒトルド（ベルトルドゥス・アウロファベール）作／1494年／アメリカ、メトロポリタン美術館蔵

シャルトル大聖堂のバラ窓　12世紀半ば-13世紀前半／フランス

071

10 ゴシック

板絵祭壇画「受胎告知」　シモーネ・マルティーニ作／1333年／イタリア、ウフィツィ美術館蔵
シエナ大聖堂の祭壇のために描かれた。受胎告知の上の円枠内にはキリストをほのめかす巻紙を手にした預言者たち、中央には聖霊の鳩が描かれている。

機械生産に対する批判として語られるようになる。ウィリアム・モリスたちのアーツ・アンド・クラフツ運動は、ゴシック・リヴァイヴァルから発展したものである。

　ゴシック様式は建築を中心とし、金属工芸、織物、写本、タイル、そしてステンドグラスで豊かな装飾美術を開花させた。ステンドグラスはゴシック教会のバラ窓において華麗な光の装飾をつくり上げた。この窓の形によって、ゴシックはランセット（槍の穂形）式、レイヨナン（放射状）式、フランボワイヤン（火焔状）式などと分かれている。

カズラ（彩飾された祭服）
1330-50年／アメリカ、メトロポリタン美術館蔵

装飾写本『時祷書』より「出エジプト記」　ジョヴァンニーノ・デ・グラッシ著／1390年頃／イタリア、国立中央図書館蔵

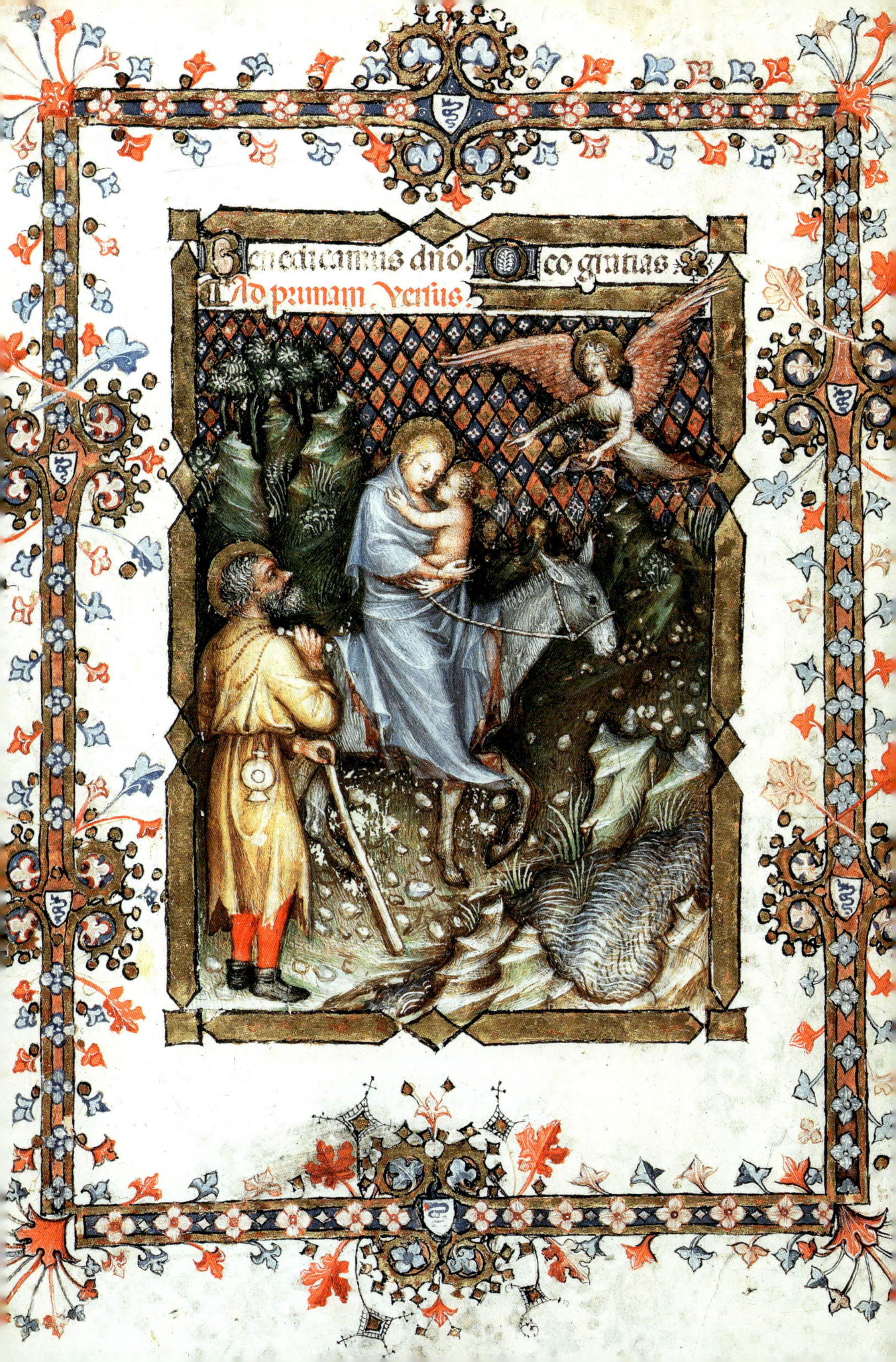
Benedicamus dño. Deo gratias.
Ad primam. Versus.

ルネサンス

優雅な調和の幾何学

🌿 15世紀初頭-16世紀後半頃

特徴：古典主義（ギリシアのクラシック様式）の復興、遠近法（透視図法）、
　　　均衡（バランス）と調和（ハーモニー）、合理的、規則的、シンメトリー、
　　　正方形・正円

15世紀のはじめ、イタリアのフィレンツェにおいてゴシックに別れをつげる〈ルネサンス〉がはじまる。その中心はブルネレスキ、ドナテッロ、マサッチョであった。〈ルネサンス〉は古典主義（ギリシア）を甦らせるとともに、新しい人間像をつくった。新しい人間は、世界を合理的に、科学的にとらえる。美術においては、見える世界を、3次元の遠近法（透視図法）の空間の中に配置されたものとして描き出そうとしたのである。

人間が主役となり、神の束縛から自由な〈個人〉があらわれた。ルネサンスには、ダ・ヴィンチからミケランジェロにいたる個人として知られるアーティストが登場する。

ルネサンスの美の理想は、〈各部分の美しい均衡（バランス）による調和（ハーモニー）〉である。ルネサンスの装飾の様式を支配するのは、このバランスとハーモニーである。文様は合理的、科学的に構成され、安定したバランスを保っている。くっきりしたシンメトリー、リズムが感じられ、視覚的に落ち着きを与える。一方、植物などの描写は、

1　サン・ジョヴァンニ洗礼堂第2門扉
ロレッツォ・ギベルティ作／1403-24年／イタリア

2　テラコッタ「神の子を崇めるマドンナ・トーディ」
ドナテッロ作／15世紀／フランス、ルーヴル美術館

（右ページ）システィーナ礼拝堂の天井画
ミケランジェロ・ブオナローティ画／1508-12年／ヴァチカン
『創世記』による9つの場面が主題。中でも「アダムの創造」が有名。

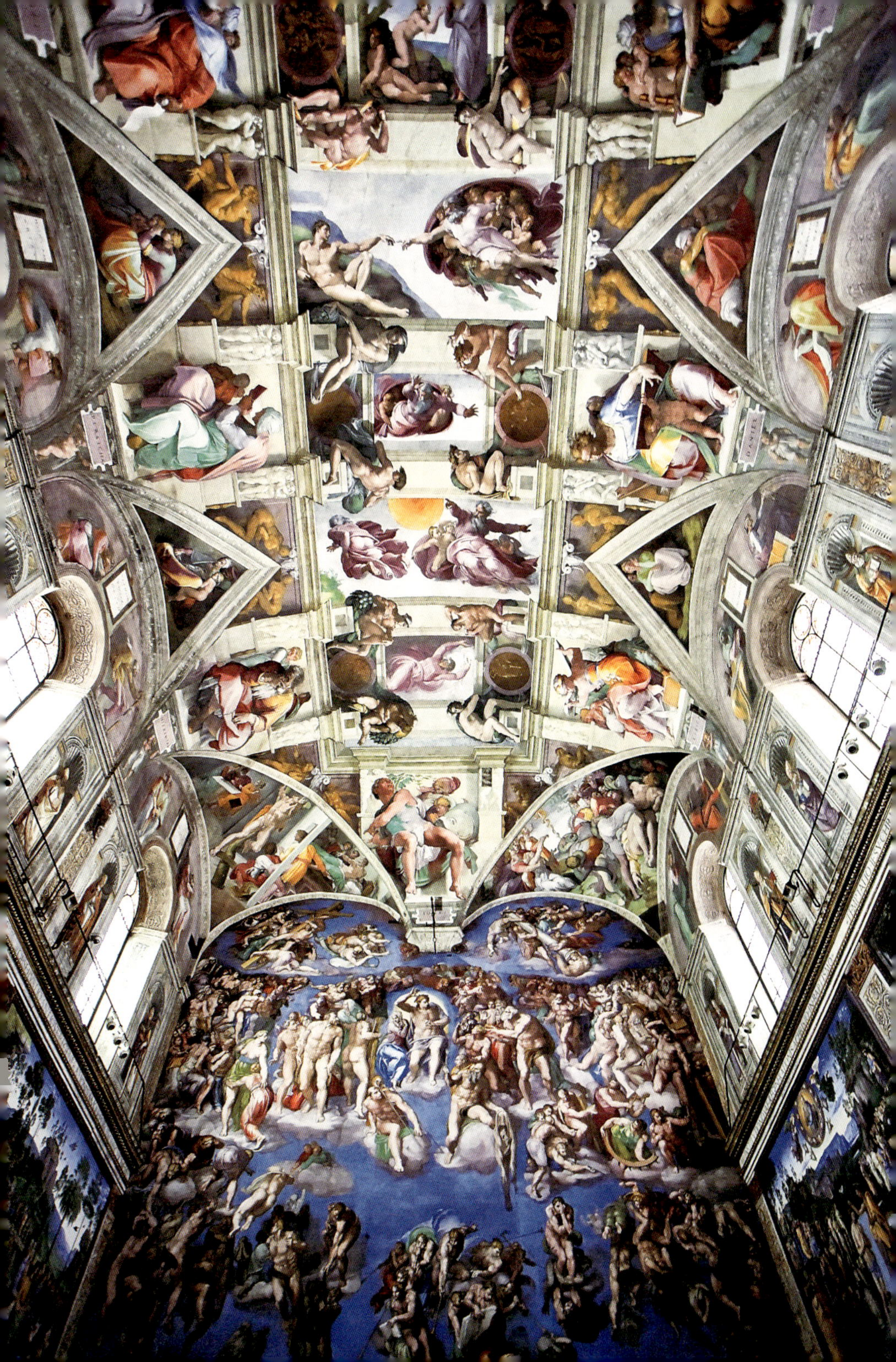

11 ルネサンス

サン・パオロ尼僧院の天井画
コレッジョ画／1519年頃／イタリア

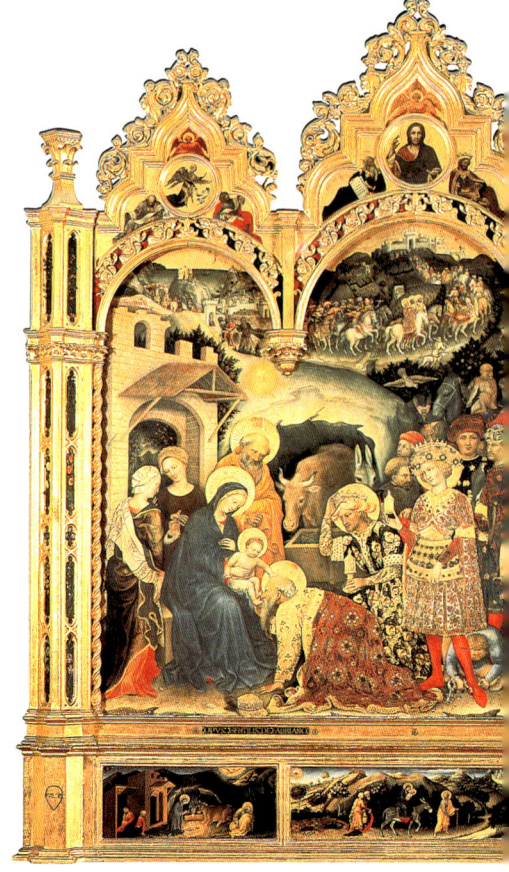

「東方三博士の礼拝」
ジェンティーレ・ダ・ファブリアーノ画／1423年頃／イタリア、ウフィツィ美術館蔵　飾り立てた東方の博士たちと、聖伝というよりも春の祝典、またはフィレンツェの繁栄への賛歌という趣を見せる。

自然で、いきいきしている。ゴシックにおいて自然観察がはじまっていたが、まだそれは感性的で、科学的なものではなかった。ルネサンスでは自然の中の原理が研究される。

　規則性、合理性がルネサンスの装飾原理となる。しかしその規則性は、硬直したものではなく、明快で快適なものである。ルネサンスでは正方形や正円などが好まれる。次のバロックが長方形や楕円を好むのと対照的である。バランスとハーモニーによる、揺らぎや不安のない人間のまなざしをルネサンスは求めた。

　16世紀にルネサンスはピークに達するとともに、分裂がはじまる。ルネサンスの中心はフィレンツェからローマに移る。ローマ法王が支配する。しかしそれに対立するマルティン・ルターなどの宗教改革運動が起こる。そしてルネサンスの調和も崩れてゆく。

　バランスは破れ、空間は歪み、ルネサンス装飾の安定した座標は傾き、アンバランスなねじれがあらわれる。16世紀後期のマニエリスムでは形は引きのばされ、エキセントリックな姿を見せ、やがてバロックの時代に入ってゆく。

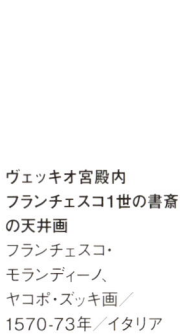

ヴェッキオ宮殿内
フランチェスコ1世の書斎
の天井画
フランチェスコ・
モランディーノ、
ヤコポ・ズッキ画／
1570-73年／イタリア
〈自然界と人間界の結
びつき〉がテーマ。金地の
上にさまざまなグロテスク
文様が描かれている。

バロック

12 Baroque

情熱の紋章

🍃17世紀頃

特徴：太陽王ルイ14世、太陽神アポロン、豪壮で男性的、権威的、斜めの流動する曲線、劇的、光と影、ダイナミック、シンメトリー

ヴェルサイユ宮殿・鏡の間 1678-84年／フランス　太陽王ルイ14世が誇った宮殿の中枢。全長73m。当時、鏡の製造をできたのはヴェネチアだけだったが、密かにその技術を入手し、フランスの技術の高さを世に知らしめた。

17世紀に、ルネサンスの調和の夢は壊れ、分裂の中で、前半はローマ法王、後半はフランスのルイ14世が主役であった。ローマでは画家のカラヴァッジョ、アンニバーレ・カラッチ、建築家のベルニーニが活躍した。ローマのバロックは、光、色彩、動きの幻想的な効果で、見る人に強い感情を引き起こした。

〈バロック〉は歪んだ真珠のことであったという。

バロック調のアームチェア　ゲオルク・フォン・ドールマン作／19世紀半ば／ドイツ、ヘレンキームゼー城蔵

サン・ピエトロ大聖堂（内部）　1624-33年／ヴァチカン　主祭壇と天蓋はミケランジェロの基本設計に従って建てられた。白い大理石の積柱と黒いねじり柱が対比をなし、巨大な400以上の彫像、祭壇画、147基の歴代法王の墓が配置されている。

ヴェルサイユ宮殿・庭園　1661-1700年頃／フランス　約40年かけて完成。幾何学文様が美しいフランス式庭園の最高傑作。

ルネサンスの安定した、平面的なパターンに対立して、斜めの、流動する曲線が使われた。すべてがくっきりと見えるルネサンスの真昼の空間に対して、光と闇が交錯する、劇的な空間が求められた。バロックの装飾はダイナミックで不安定な動きを持ち、見る人のまなざしを落ち着かせない。〈バロック〉では、イリュージョン、だまし絵といった、トリック的な技法が使われた。建築、彫刻、絵画などがはっきり区別されずに混じり合う。たとえば、建築としての柱が天井の中にとけ込んでしまう。下から見ていると、どこまでが実際の柱で、どこから描かれた柱なのかわからない。扉なども本物と描かれた扉の両方があったりする。

　バロックの装飾は、そのようなだまし絵のトリックで大きな役割を果たしている。バロックはいわばこの世界を大きな劇場のようなものと見て、装飾を舞台装置、書割としてあつかったのである。装飾は建築、彫刻、絵画と入り混じり、さらには自然の植物とも入り混じった。さらにそれは、人間とも混じったともいえるだろう。なぜなら、バロックの波立ち、うねるように流動的で、光と影で劇的に彩られた装飾は、私たちの感情を刺激し、心を揺らすような情熱の中に参加させるからである。

　17世紀後半、バロックはフランスに受け継がれ、ルイ14世による〈王のバロック〉がヴェルサイユ宮殿でくりひろげられる。宗教的情熱に代わって、世俗的な宮廷文化の栄華が展開される。プッサンやクロード・ロランなどの画家がヴェルサイユを飾る。フランス・バロックでは〈風景〉がとり入れられる。装飾においても、野や山、花や木などの自然が新しい雰囲気をもたらし、ローマ・バロックの厳しく重苦しい宗教性をやわらげ、バロックを世俗化する。

ルイ14世の大理石像
マルタン・デジャルダン作／
1675年／フランス

「〈夜のバレエ〉で太陽神を演じるルイ14世」　モーリス・ルロアール画／1904年／フランス
ルイ14世にとって舞踏は自分の権力を誇示する道具で、自らが主演し宮廷で壮麗なバレエを上演した。太陽神アポロン（アポロ）を好んで演じたことから「太陽王」の名がついたともいわれる。また、当時のバレエには神話の世界の神々が登場し、それは国王の栄華を賞賛していた。

081

13 Rococo

ロココ

女性がつくった初のスタイル　　　🐝 18世紀頃

特徴：ポンパドゥール夫人、マリー・アントワネット、優美で女性的、ロマンティック、現世的・享楽的、曲線的、アシンメトリー、白・パステルカラー、ロカイユ、鏡、シノワズリ（中国趣味）

シュタインハウゼン巡礼教会の天井画　ヨハン・バプティスト・ツィンマーマン画／1727-50年／ドイツ　大きな天井画は四大陸を象徴する人々に見守られながら聖母マリアが昇天してゆく場面を描いている。

　17世紀のバロックに対して、18世紀のスタイルはロココといわれる。ロココを後期バロックということもあるが、曲線的であることは共通であるものの大きなちがいがある。バロックは豪快で男性的であるが、ロココは繊細で女性的である。

　ロココが女性的なスタイルとして繁栄したのは、そのアート・ディレクターが、ルイ15世の愛人ポンパドゥール夫人であったことも一因である。これまでの様式の歴史において、女性が指導的な役割を果たしたことはなかった。ロコ

コは女性が主導したはじめてのスタイルなのである。それ以降、女性的なフランス文化が世界の主流となり、やがてパリ・ファッションが世界を支配する。ロココは、その起源となったのである。

　ポンパドゥール夫人は、家具職人のパトロンとなり、華麗なフランス家具をつくり出す。女性的なスタイルの魅力は、特に居心地のいい、こぢんまりした室内で発揮される。バロックが壮大な大ホールを飾ったのに対して、ロココは私的な婦人部屋をやわらかく包んだのである。

　ロココは水中でゆらめく藻のような、優美な曲線を好んだ。ロココは、庭園につくられる人工的な洞窟などに使われるロカイユ（貝がらなどがついた石）からきているという。S字形の曲線が組み合わされ、軽快に踊っていた。

　シノワズリ（中国趣味）があふれたのもロココにおいてであった。東洋のエキゾティックな線はおとぎの国へのあこがれを語った。水、海のイメージが多いのもロココの特徴である。曲

「ポンパドゥール夫人」
フランソワ・ブーシェ画／1756年／ドイツ、アルテ・ピナコテーク蔵

扇
1760-70年頃／イギリス、ヴィクトリア＆アルバート美術館蔵

083

13 ロココ

線は波のようにうねり、しぶきをはねかけた。貝がらや海藻がちりばめられた。鏡が多用され、こだまのように鏡映がくりかえされる部屋を水底のように見せていた。

　ロココの末期、ルイ16世の時代には、マリー・アントワネット王妃が時代の趣味を先導する。彼女は人工的で規則的なバロック庭園に対して、英国の田園風の庭を好み、農家の娘に扮して遊んだりした。そのような気まぐれ、逸脱がロココの最後、デカダンスを示している。

　フランスのロココはまだ上品さを保っていたが、ドイツやオーストリアでは過剰な装飾が乱舞する迷路の森のようなアマリエンブルクの鏡の間などがつくられる。

フォンテーヌブロー宮殿
アンヌ・ドートリッシュの寝室
16世紀前半／フランス

ニンフェンブルク宮殿
アマリエンブルク荘の鏡の間
フランソワ・ド・キュヴィイエ作／
1734-39年／ドイツ

嗅ぎタバコ入れ
ジャン・フレマン作／1756-57年／アメリカ、メトロポリタン美術館蔵
ロカイユの渦巻文とうねる金色のリボン、花や葉の装飾。

ファイアンス陶器のスープ深皿
1774-75年頃／アメリカ、メトロポリタン美術館蔵
1774年に死去したルイ15世の肖像が描かれている。
ロココ的色彩が特徴の陶器。

085

ロシア

14 Russia

生きつづけるフォーク・アート　　🕮 10世紀以降

特徴：ビザンチン美術、フォーク・アート（民族美術）、ルーシ（古いロシア）
　　　エキゾティック、土着的・民俗的、イコン

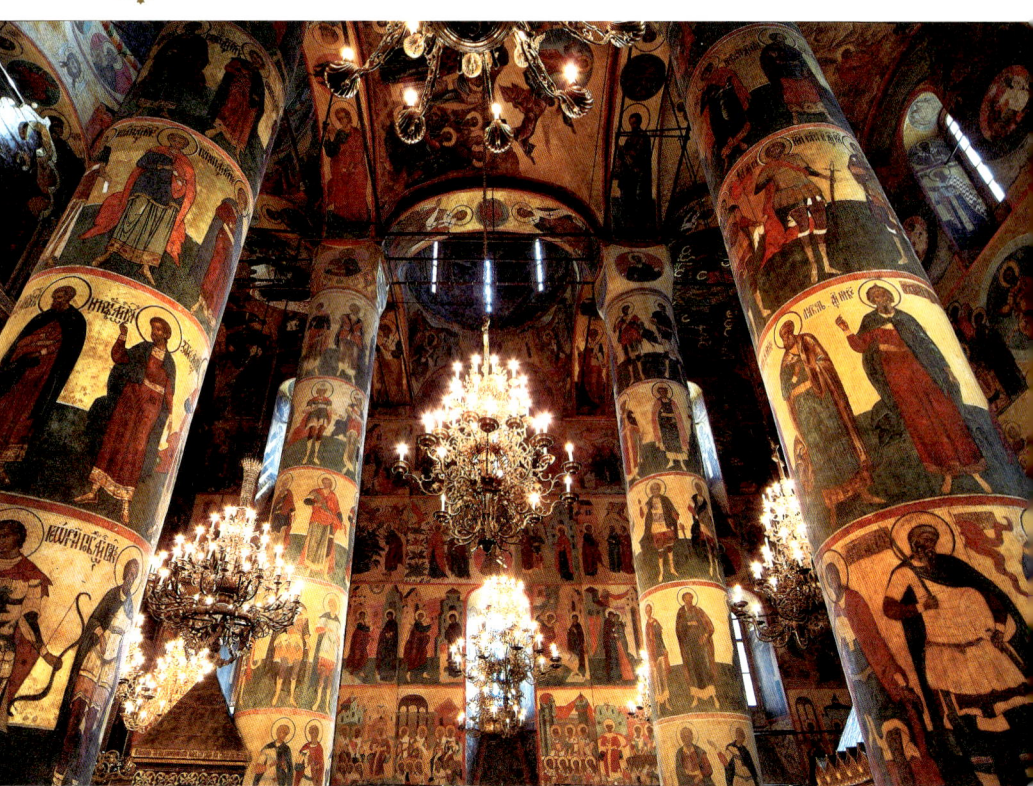

ウスペンスキー大聖堂（内部）　1475-79年／ロシア

　ロシアの美術史はしばしば、10世紀、つまりロシアがキリスト教化された時からはじめられている。それ以前の異教的なロシアの原始美術はほとんど残っていないとされたのである。しかし考古学的研究が進み、ヨーロッパではケルト文化などの原始文化の存在が明らかにされたように、ロシアでも、東スラヴ族の古文化があったことがわかってきた。東スラヴ族はスキタイ、サルマタイなどの騎馬民族に接し、馬や鹿、怪獣などが入り組んだ文様を

オクラード（金枠）つきイコン「聖母」
イコン：16世紀末、オクラード：17世紀後半／ロシア、国立歴史博物館蔵
銀、エマーユ（七宝焼き）、真珠、ガラス、織物などをぜいたくに使い、様式化された植物文様で装飾されている。

14 ロシア

刻んだ工芸品を制作した。これらの古文化は失われたわけではなく、ロシアのフォーク・アート（民俗美術）の中に生きつづけていた。

これらの異教的な古代につづいて、キリスト教ロシアの第1期（10-14世紀）、ロシア中世に入る。この時期はビザンチン美術の影響下に、キエフ、ノヴゴロドなどにキリスト教の大聖堂が建設される。13世紀にはモンゴル人の侵入があり、ノヴゴロド公国だけがやっと

ミトラ（主教冠）
17-19世紀初頭／ロシア、国立歴史博物館蔵
真珠、ダイヤ、エメラルド、ルビー、サファイヤで植物文を刺繍。

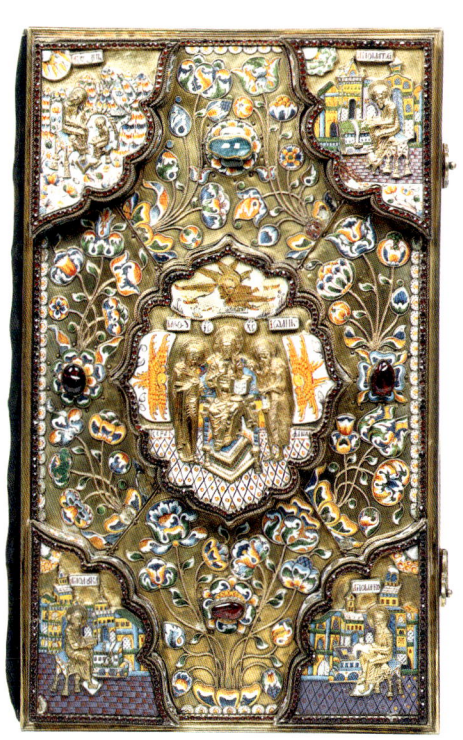

福音書の裏表紙　表紙：1840年、本文：1681年／ロシア

088

独立していた。ビザンチンから入ったイコン（聖像画）が、ロシア・イコンとしてすばらしい表現に達する。

第2期（15-17世紀）はモスクワ大公がロシアを統一し、1453年にコンスタンティノポリスが陥落すると、モスクワは東ローマのキリスト教を受け継ぐ、第3のローマとして、玉ねぎ形のドームを持った大聖堂を建設する。

18世紀にはピョートル大帝が西欧化、近代化を目指し、新都ペテルブルクを開いた。それによって古いロシア（ルーシ）は失われてくる。

19世紀半ばに、ロシアの国民文化が目覚め、〈ルーシ〉がもどってくる。民俗文化、フォーク・アートの研究がはじまり、伝統的な装飾が集成され、文様集が編まれる。ロシアの民話が集められ、そこに生きるおとぎ話の世界が甦ってくる。プーシキンがそれを再話し、イワ

バレエ「シェエラザード」のためのコスチューム・デザイン
雑誌『コメディア・イリュストレ』1910年2巻18号掲載／レオン・バクスト画／1910年／フランス刊

14 ロシア

ン・ビリービンなどが挿絵を描き、それをロシアの文様で飾る。

　ロシアは、スキタイなど、中央アジアの文様を受け継ぎ、ビザンチンの文化遺産をそっくり保存していた。19世紀末、それらの装飾文様が発見され、ヨーロッパに伝えられる。20世紀のはじめ、パリに登場したバレエ・リュス（ロシア・バレエ団）の舞台は、そのエキゾティックなデザインで西欧にショックを与えたのであった。

1　ロシア民話『イワン王子と火の鳥と灰色の狼』挿絵
イワン・ビリービン画／1910年版／ロシア刊

2　壁紙のデザイン
フョードル・ソルンツェフ画／1830年頃／ロシア

（右ページ）
ロシア民話『美しき金髪のマリヤとイワン』挿絵
絵本『アリョーヌシカ』より／イーゴリ・イェルショフ画／1980年版／ロシア刊

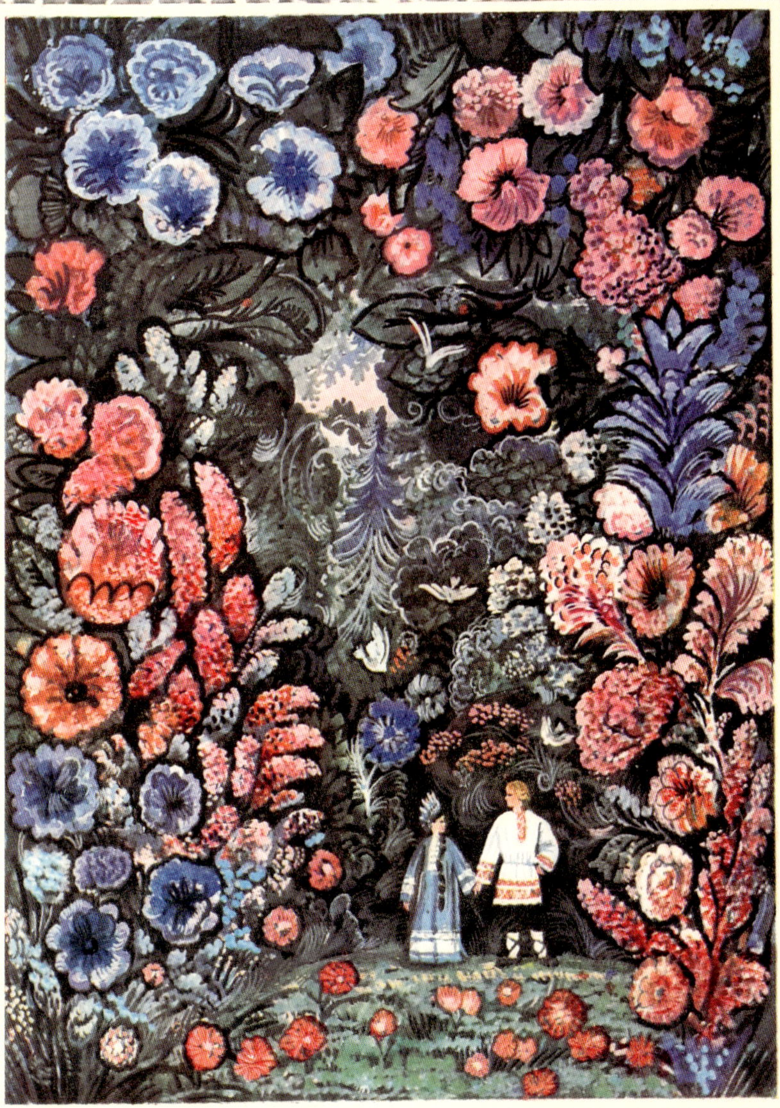

19世紀

15 19th Century

様式の氾濫　　　　　　　　　　　　　　　　19世紀

特徴：流動的、過去の様式の折衷、アンピール様式、ビーダマイヤー様式、ヴィクトリアン、ネオクラシック、ゴシック・リヴァイヴァル、レトロ（懐古的）

19世紀は、ロココとモダン・デザインをつなぐ過渡期である。この時代に〈様式〉が意識される。つまり、ある時代は特有の〈様式〉を持つということ、その〈様式〉は、永続的なものではなく、時代とともに終わり、変化することに気づく。さらに、〈様式〉が相対的なものなら、私たちはいろんな〈様式〉が選べるのではないだ

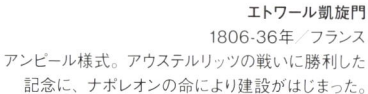

エトワール凱旋門
1806-36年／フランス
アンピール様式。アウステルリッツの戦いに勝利した記念に、ナポレオンの命により建設がはじまった。

ナポレオン1世の肖像を織り込んだタペストリー
1808-11年／アメリカ、メトロポリタン美術館蔵

ドミドフの壺
1819年／アメリカ、メトロポリタン美術館蔵
ロシアのドミドフ家の領地で採掘された孔雀石は、19世紀の装飾素材として人気があった。

パラヴィチーニ宮殿のメイン・ダイニングルーム　1815年／オーストリア　ハプスブルク家の居城だった宮殿のビーダマイヤー様式の家具装飾。

ろうか、という考えが生まれる。そして時代は変化しやすくなり、〈様式〉もどんどん変わり、一種の〈流行〉のようなものになってゆく。

19世紀は〈様式〉が流動化した時代を映している。ロマネスクやゴシック、ルネサンスは数世紀つづき、バロックやロココは1世紀はつづいた。しかし19世紀には〈様式〉は、スケール・ダウンし、数十年から10年といった速さで交代してゆくのである。さらに、それが広がる地域も狭くなり、国ごとにそれぞれちがった〈様式〉があらわれたりする。

19世紀のはじめ、フランスではアンピール様式があらわれた。ナポレオン皇帝にちなんだ名で、アンピールは帝政を意味する。曲線的で装飾過剰なロココへの反抗で、シンプルな直線を主とする。ナポレオンのエジプト遠征の影響で、エジプト様式のリヴァイヴァルでもあった。

アンピールはドイツに伝わり、〈ビーダマイヤー〉様式といわれた。貴族階級が崩れ、新

15 19世紀

13th Century

1　ロンドンとパリの最新
ファッションイラスト
1830-40年頃／イギリス、
ロンドン博物館蔵
当時最もはやっていたヴィクトリアンの帽子とガウン。

2　ヴィクトリア様式のカウンティ・
アーケード
1898-1900年／イギリス

(右ページ)
『英国の吟遊詩』
ホスキンズ・アブラハル画／
1872年／イギリス刊
ヴィクトリア期は、ゴシックの装飾写本のリヴァイヴァルがはやった。

1

興成長の市民階級があらわれ、ちょっとぜいたくで、ローマ帝国風のえらそうな気分の様式を好んだといわれる。英国では〈ネオクラシック〉といわれるがそれほどはやらず、〈ゴシック・リヴァイヴァル〉といわれる中世的な様式がはやった。

英国ではやがてヴィクトリア女王の時代となり、〈ヴィクトリアン〉といわれる、さまざまな過去の様式を折衷したあいまいな様式が登場する。ヴィクトリア期は1837年から1901年までつづき、クラシック、ゴシック、オリエンタル、ルネサンス、ロココなど、様式のデパートのような時代であった。逆にいえば、統一した様式を見出すまでの過渡期で、とりあえず過去の様式をあれこれとり出して、店(たな)おろしをして

いたのである。レトロ(懐古的)な時代といってもいいかもしれない。そして19世紀末に、モダン・スタイルへ始動してゆくのである。

2

You meaner beauties of the night,
  Which poorly satisfy our eyes
More by your number than your light!
  You common people of the skies!
What are you, when the Moon shall rise!

Ye violets that first appear,
  By your pure purple mantles known,
Like the proud virgins of the year
  As if the spring were all your own,
What are you, when the Rose is blown!

Ye curious chanters of the wood
  That warble forth dame Nature's lays,
Thinking your passions understood
  By your weak accents what's your praise,
When Philomel her voice doth raise!

So, when my Mistress shall be seen
  In sweetness of her looks and mind
By virtue first, then choice, a Queen,
  Tell me, if she were not design'd
Th' eclipse and glory of her kind!

Sir Henry Wotton.

アーツ・アンド・クラフツ運動

ゴシックの精神

19世紀半ば-19世紀末

特徴：新しさと伝統の融合、機械化と手工芸（ハンドクラフト）の融合、ギルド、ゴシック・リヴァイヴァル、自然回帰、フォーク・アート

タイルパネル「眠れる森の美女」　エドワード・バーン＝ジョーンズ画／1862-65年／イギリス、ヴィクトリア＆アルバート美術館蔵
3枚の物語パネルのうちの1つ。絵を縁取る白鳥のタイル・デザインはウィリアム・モリスのものといわれている。

モダン・スタイルへの入口となった、アーツ・アンド・クラフツ運動、アール・ヌーヴォー、アール・デコは、それぞれ、現代美術が今も抱えている問題を提起していた。アーツ・アンド・クラフツ運動は、アートとクラフトの対立について問いかけた。個人のスタイルと共同体の両極、新しさと伝統、機械化と手工芸（ハンドクラフト）の両極をいかに融合できるのだろうか。

ウィリアム・モリスは美術評論家ジョン・ラスキンのゴシックの職人の手仕事にもどれという呼びかけに応えて、職人たちと手づくりの工房を結成し、壁紙、更紗のデザインをはじめた。そしてアートと

内装用ファブリック「いちご泥棒」　ウィリアム・モリス作／1883年／イギリス、ヴィクトリア＆アルバート美術館蔵

レッド・ハウスのドローイング・ルーム　1859年／イギリス　ウィリアム・モリスの結婚新居。建築、インテリア、家具などのすべてを自分たちでデザインした。

セント・ジョージ・キャビネット　フィリップ・ウェッブ、エドワード・バーン=ジョーンズ作／1861年／イギリス

クラフトの分離、差別化に反対し、1888年からアーツ・アンド・クラフツ展協会を結成した。

　この運動の1つの核となったのは、中世の職人の共同体〈ギルド〉という考えであった。モリスの工房と並んで、アーサー・ハイゲート・マックマードの"センチュリー・ギルド"、そして"アート・ワーカーズ・ギルド"などがつくられて運動が広がっていった。

　アーツ・アンド・クラフツ運動はさまざまな方向を含んでいたから、1つの様式にまとめにくいが、共通しているのはゴシックの精神に沿い、自然の新鮮な感性、フォーク・アートへの想像力を持っていたことである。そのために、植物や風景のいきいきとした表現がモダン・スタイルのための豊かな源泉となった。

　都市化、近代化の中で、田園に帰れ、中世に帰れというアーツ・アンド・クラフツ運動の呼びかけは、懐古的スタイルのようであったが、実はその後のモダン・アートの方向づけに大きな意味を持っていた。なぜなら19世紀末に、アートとはなにか、アーティストとはなにかを、考えさせる問いかけだったからである。

　そして、現代文化はいつでも、近代化、機械化、コマーシャル化の中にアートが埋もれてしまう危機にひんしているのだ。その時、モリスたちの問いかけは決して古くなってはいないのだ。

　アーツ・アンド・クラフツ運動は、英国からヨーロッパ、アメリカ、そして日本にも伝えられた。人々が素朴なフォーク・アートに新鮮なおどろきを感じる時、その精神は甦ってくる。

『ジョン・ボールの夢』　文・デザイン：ウィリアム・モリス／エドワード・バーン＝ジョーンズ画／印刷：ケルムスコット・プレス／出版：ハマスミス／1892年／イギリス
モリスは読みやすく、手に取りやすい、美しい本をつくりたいと、1890年にケルムスコット・プレスを設立した。中世の写本や15世紀の印刷本をモデルに、美しいデザインで一般の人々が手に取りやすい装丁で、独自のロマンスの世界を発信していった。

アール・ヌーヴォー

東と西が出会う

🌿 19世紀末-1910年代

特徴：花と女性、手描きの曲線、輪郭線、シンメトリー、ゆり・唐草、蛇・孔雀、無彩色、異文化の発見、ジャポニスム（日本趣味）

17 Art Nouveau

アール・ヌーヴォーの可憐な花は、街のはずれ、郊外の野の花であった。19世紀末に近代都市の中心ではなく、そのはずれに咲く小さな花のパターンからモダン・スタイルの最初のステップが踏み出されたことは注目すべきである。

アール・ヌーヴォー様式の特徴は植物的な曲線であり、花と女性というモチーフである。

ランプ「ひとよ茸」
エミール・ガレ作／1900-04年／日本、北澤美術館蔵
きのこは枯木を分解して新たな生命の土壌を生み出す。このランプには死からの復活、消滅と生成をくりかえす生命への賛歌というメッセージが込められている。

クレディ・リヨネ銀行天井　ステンドグラス「クレマチス」
ジャック・グリュベール作／1901年／フランス

100

カレンダー「黄道12宮」　アルフォンス・ミュシャ画／1896年／フランス刊
女性の美しい横顔と流麗な線がアール・ヌーヴォー的。バックにある円形に12宮（12星座）のシンボルがはめ込まれている。

17 アール・ヌーヴォー

ポスター「ディヴァン・ジャポネ」
アンリ・ド・トゥールーズ=ロートレック画／1892-93年／フランス、パリ国立図書館蔵
日本をイメージした家具が置かれ、着物の女性が給仕をした酒場「ディヴァン・ジャポネ（日本の長椅子）」のためにつくられた。大胆な省略、画面構成、浮世絵的な線の使い方、落ち着いた色調から、ジャポニスムの大衆版といえる。

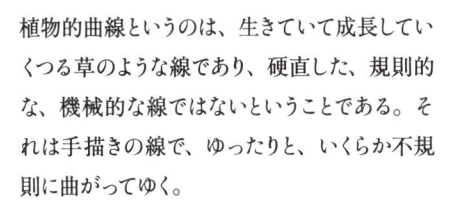

『サロメ』挿画
オーブリー・ビアズリー画／オスカー・ワイルド著／1894年／イギリス刊

　植物的曲線というのは、生きていて成長していくつる草のような線であり、硬直した、規則的な、機械的な線ではないということである。それは手描きの線で、ゆったりと、いくらか不規則に曲がってゆく。

　19世紀に、ヨーロッパは世界の中心、いや世界のすべてと考えられた。ヨーロッパという大きな部分の内部にすべてがそろっているとされたのである。しかしヨーロッパがすべてではなく、その外に、別な、ヨーロッパと同じく文化的で芸術的な世界があるのではないか、と19世紀末に考えられるようになった。異文化の発見であり、その1つが日本であった。ジャポニスム（日本趣味）は、ヨーロッパとはちがった自然の見方があることを告げた。そのような西と東の出会いから、アール・ヌーヴォーが生まれ、モダン・スタイルが出発したのである。

　自分とはちがったもの、エキゾティックなものとの出会いから新しい表現が生まれる。アール・ヌーヴォーの出現はそのことを語っている。そのモチーフの花と女性も、外のもの、異端であった。花は自然であり、都市の外にあった。そして19世紀は、男性中心の社会であり、女性はそこから排除された、第2の性であった。手描きの曲線というのも、時代おくれで、忘れられていた。

そのような、小さな、弱々しく、古びたものが、なぜ19世紀末にあれほど新しく感じられたのだろうか。

　おそらくそのことが、アール・ヌーヴォーの秘密なのである。既成のもの、権威となったものは街の中心で不動のものとなり、それ以上発展しなくなる。新しいものは、外からくるのだ。それは無名であり、弱々しく、異形のものであるが、これから芽を出し、いきいきとのびていく可能性を秘めている。

　ある文化が行きづまり、硬直した時、街はずれから、思いがけないところから、新しいものがやってくる。〈アール・ヌーヴォー〉はモダン・スタイルのそのような告知であった。

1　オルタ邸
ヴィクトール・オルタ作／1898-1901年／ベルギー

2　装飾扇「闘鶏」
エミール・ガレ作／1878年／日本、飛騨高山美術館蔵
草花と竹の葉、巴文、青海波（せいがいは）、菱文という日本の伝統的な文様に加え、フランス・ブルボン王朝のゆりとゴシック風の唐草文が描かれている。

3　ナンシーの百貨店の試着室扉
エミール・アンドレ、ウジェーヌ・ヴァラン、ジャック・グリュベール作／19世紀末-20世紀初頭／フランス、オルセー美術館蔵

103

アール・デコ

18 Art Deco 最後の様式か

1910年代後半 - 30年代

特徴：デザイン化、三角・鋭角・同心円、機械的・無機的、平面的、アシンメトリー、バラ、原色

　アール・ヌーヴォーは1910年代に姿を消し、モダン・アートの革命がはじまった。キュビスム、フォーヴィスム、シュルレアリスムなど目まぐるしくイズム（イスム）があらわれ、分裂し、もうある時代を一般的にくくる〈様式〉の時代は終わったと見られた。また、装飾文様の時代は終わり、メカニックな〈デザイン〉の時代に入ったとされた。

　しかし、そのような見方もいつまでもつづかず、1960年代に、アール・ヌーヴォーが再発見され、装飾への関心も甦ってきた。それにつづいて、1970年代から、1920年代様式として〈アール・デコ〉が認められるようになった。

　〈様式〉の面白いところは、ある様式でくくってみると、それまでばらばらだったものが1つのまとまりとして見えてくることである。それはちょうど星座に似ている。ばらばらに点在する星を、大熊座などという図形でつなぐと、1つの絵が見えてくるのだ。バロック、ロココなどという様式も、あとでつくられたものだが、それによって1つの時代のまとまりが出てくる。

1　テキスタイル・プレート集『万華鏡』
　モーリス・ピラール・ヴェルヌイユ画／1925年／フランス刊

2　クライスラービル　1930年／アメリカ

（右ページ）
『ファルバラ・エ・ファンフルリュシュ』1922年表紙
ジョルジュ・バルビエ画／1922年／フランス刊

Falbalas & Fanfreluches

ALMANACH
pour
1922

GEORGE BARBIER

15 アール・デコ

紙の文様デザイン「星の花」
コロマン・モーザー画／
1901年／オーストリア

　アール・デコは、1925年のパリ装飾美術（アール・デコラティフ）博覧会の名からつくったことばだが、アール・ヌーヴォー以後の時代をまとめる〈様式〉として使われるようになった。1910年代後半から1930年代までの時代を示すのに便利なことばとなっている。

　アール・デコの後の時代についてはまだ決定的な〈様式〉は見つかっていない。〈様式〉の時代は今度こそ終わったのだろうか。しかし、有名アーティストや主流だけをつないだ美術史だけでなく、装飾文様という共同体の芸術を含む美術史を書くとすれば、やはり〈様式〉はこれからも必要であるかもしれない。

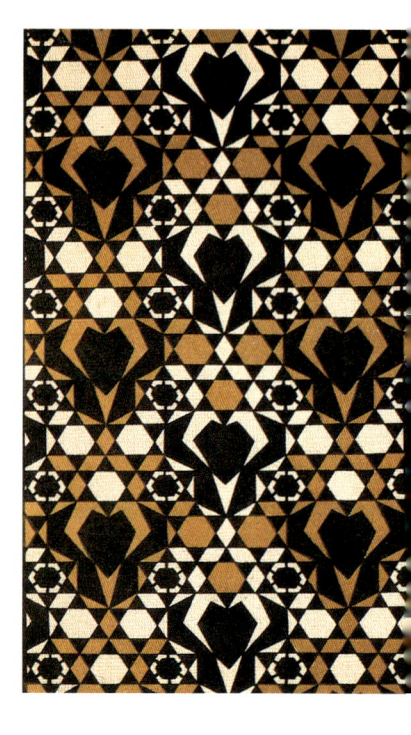

プラスティック・バッグ
1940年代

雑誌『アール・グー・ボーテ』
No.66表紙
1926年／フランス刊

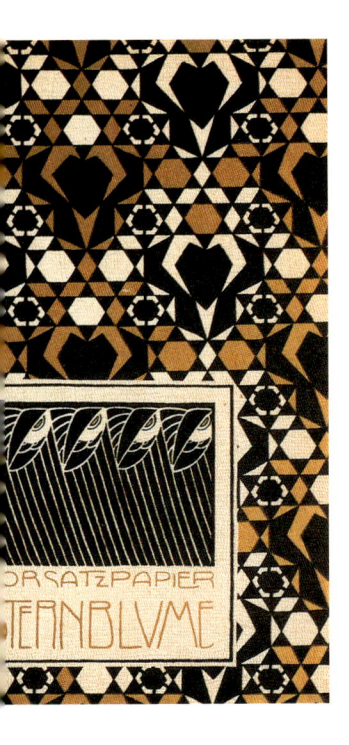

雑誌『ヴェル・サクルム』挿絵　コロマン・モーザー画／1901年／オーストリア刊

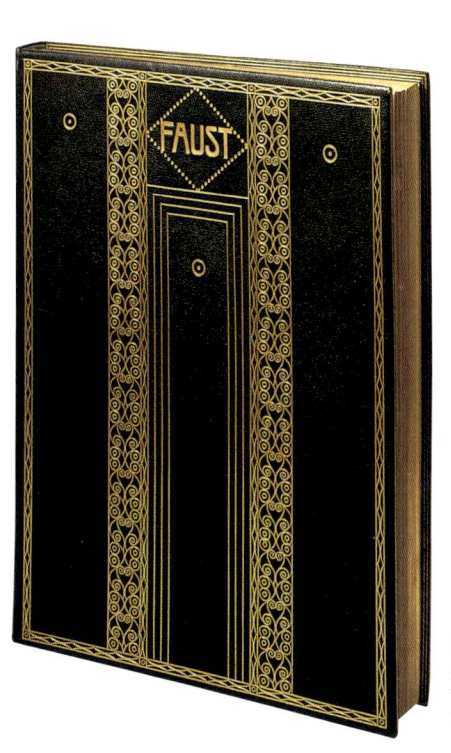

『ファウスト』第1部の装丁
エマヌエル・ヨーゼフ・
マルゴールト作／ゲーテ著／
1914年頃／オーストリア刊

本の装丁
ヨーゼフ・ホフマン作／
1905年／オーストリア刊

107

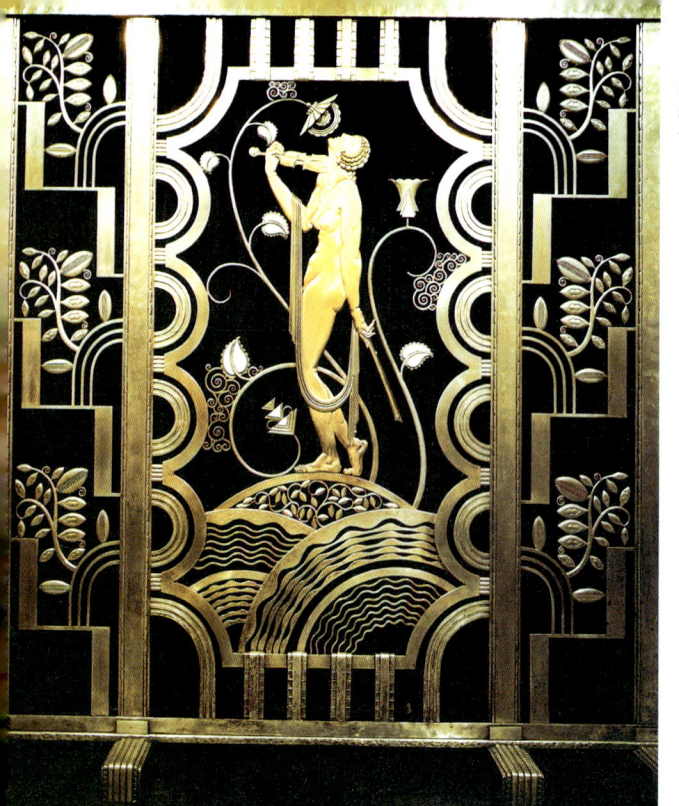

スクリーン
ポール・フェール作／
1920-30年代／アメリカ

椅子
ヨーゼフ・ホフマン作／
1904年／オーストリア

チェスト
ヨーゼフ・ホフマン作／1902年／オーストリア
引き出しのヌーヴォー的な装飾とは対照的に、
直線的なメタルの脚が特徴。

　アール・デコは、装飾とデザイン、また個人の趣味と大衆の趣味との両極の問題を問いかける。一品制作のアートと工場生産のガラスの関係をどう考えればいいのだろうか。私たちは、工場でつくられたガラスのような、大衆的で日常的なものにも美を感じる地点にいる。アール・デコが様式として認められたのも、現代の美意識の変化によるのである。〈アール・デコ〉という様式のことばを知ることで、忘れられ、見えなくなっていたオブジェが突然、見えるものとなる。〈様式〉とは、それまで見えなかったものを見えるものとし、アートとして発見させるものである。

THE

THE IMAGES OF EUROPEAN ORNAMENTS AND MOTIFS

IMAGES

CHAPTER 2

装飾文様の形

イメージのカレイドスコープ
形のことばの事典

形のことばを読む

　花や木の名を知っていると、自然を歩くのが楽しいように、装飾文様の世界も、文様の名を知っているとより面白くなる。文様の名とは形のことばであり、それを知っていると、装飾文様を読むことができる。装飾空間の中にある形、モチーフを知っていると、それがくりかえされ、連続してある物語が展開される。つまり、形のことばは、形の交流によって構成され、1つの空間を織り出していくのである。

　だから私たちはまず形のことば、文様の名をおぼえなければならない。ことばをおぼえると、装飾文様のさまざまな世界が見えてくる。そのいくつかを紹介しておこう。

装飾の幾何学

　まず、点や線からはじまる、基本的なパターン、幾何学的文様の群がある。はじめに示した（P9）、形——意味、抽象——写実という直交軸による4分割で第1象限に入るが、ある空間を連続的に構成し、面を織り出していくための基本パターンとなる。同じ形（四角や三角など）である面をすき間なく

埋めたり、直線を等間隔で並べたり（縞文様）して1つの面をつくり出す。基本的パターンは、装飾の地の部分を構成し、全体をコントロールする。

縞　　　　三角　　　　四角（菱形）

装飾の植物学

　装飾といえば、〈花〉が思い浮かぶほど植物をモチーフとした文様は装飾の最も大きな領域をなしている。あらゆる植物は文様のモチーフとなる。もっとも自然界の植物と装飾界の植物はまったく同じというわけではない。たとえ同じ花の名がついていても、植物文様はあくまで装飾界のオーダー（秩序）によって様式化されている。自然の植物学と装飾の植物学はちがうのである。

　しかし、まったく無縁ではなく、自然の花のイメージは巧みにとり入れられている。ただしそれは、あくまで、人間の想像力の中にとりこまれ、装

バラ　　　　花とレース　　　　アカンサス

飾界に移植されたものなのである。それだから時には、自然界にあり得ないような花が装飾の庭には咲くこともあるのである。

装飾の動物学

　動物文様も、装飾界のもう1つの大きなジャンルである。どんな動物も装飾化は可能であるが、やはり人間と親しい動物が中心となっている。動物と植物を比べると、動きまわる動物は、私たちの意識の前面にあらわれ、中心的な図柄となり、その背景、地に植物文が使われることが多い。また動物の形には、より人間的な意味が与えられることが多い。たとえば狐はずるく、雄鶏は見栄っぱり、などと自然界の動物学とは無関係なキャラクターが与えられて、装飾の動物学に人間喜劇が重ねられる。装飾の動物文も、そのようなイメージを帯びて、より面白く読めるのである。

鳥　　　　　　　　馬　　　　　　　　ライオン

装飾のファンタジー学

　装飾学は自然界とはちがう次元に属している。植物学、動物学、鉱物学といった自然界の区分は装飾界ではあっさりとり払われて、入り混じってし

まう。まず、ちがった動物がモンタージュされて、幻想的な動物、さらには上半身が人間で下半身が馬といった人間と動物の合成も行われる。植物と動物もミックスされ、植物のつるに動物や人間が生えるといった不思議な形ができあがる。どのような組合せも自由なファンタジーの世界が出現する。〈グロテスク〉というのは装飾のファンタジーから生み出された文様である。

　　　ドラゴン　　　　　　　　ユニコーン　　　　　　　　グリフォン

装飾の神話学

　装飾の形のことばは、人間の想像力の意味を充実させ、シンボルへと飛翔する。形のことばは、神秘的な意味を帯びるようになる。形のことばは図像学（イコノロジー）として解析され、読み解かれるものとなる。なぜなら装飾文様には、原始文化、エジプト、オリエント、ギリシア、ヨーロッパ、そしてすべての文化が集まっているからだ。

　そして、装飾文様の形のことばを知ることは、世界中の文化の共通のことばを知り、それを読み、世界の形の楽しさを旅していくことなのである。

幾何学文様

唐草文・アラベスク
すべての文様の母

主に使われた様式：ギリシア、ローマ以降の様式

　アラベスクはアラビア風という意味であり、狭い意味では16世紀、17世紀にヨーロッパにはやったイスラム文化（当時のことばではモーレスク、ムーア風）の影響を受けた装飾で絡み合ったつる草、または曲線による文様である。しかしその起源は古代オリエントにあり、その流れはギリシアにおいて〈唐草文〉をつくり出した。

　アロイス・リーグルはギリシアの唐草文からアラベスクにいたる雄大な装飾文様史を構想している。唐草文はあらゆる文様の母として考えることができるのではないだろうか。つる草のように成長する線は、装飾空間を構成するネットワークとなり、あらゆる文様をつないでゆくことができるのだ。

　古代オリエントや古代エジプトの文明を吸収したギリシアは〈唐草〉というネットをつくり上げた。そのネットはシルクロードをのび、中国、日本にまで達する。そして8世紀に成立したイスラム文化は、オリエントやギリシアを集約し、複雑で精密な結晶構造のようなアラベスク文を組み上げるのである。

　アラベスクはヨーロッパに伝えられる。エキゾティックな異教文化の文様として受け取られたが、その起源が古代ギリシア・ローマにあることが再発見される。きっかけは1500年頃のローマのタイタス（ティトゥス）浴場の発掘であった。幻想的なアラベスク（グロテスクともいわれる）はルネサンスの画家たちを刺激した。

　あらゆる文様の母である唐草文・アラベスクは、異文化の境界線を越えて世界中にのびている。唐草の流れをたどることは、装飾文様の歴史をたどることなのだ。その流れはすべての形を運び、結びつけている。

ローマのタイタス浴場天井画の再現画　銅板：ポール・ウェイドル／1810年（浴場は80年頃建築）

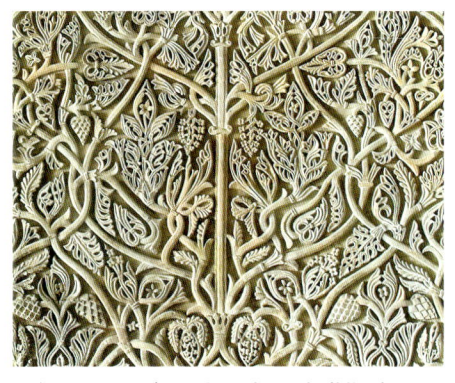

マディーナト・アッ・ザハラー宮殿の大理石浮彫装飾パネル
953-57年／スペイン

イマーム・モスク　17世紀初頭／イラン

「トレドのエレオノーラと息子ジョヴァンニ」　アニョーロ・ブロンズィーノ画／1545年頃／イタリア、ウフィツィ美術館蔵

『英国の吟遊詩』　ホスキンズ・アブラハル画／1872年／イギリス刊

幾何学文様

縞
文様のはじまり

2 *Stripe*

主に使われた様式：バロック、ロココ、19世紀、アール・デコ

　筋をつける、つまり1本の線を引く。それに平行して線を引いていく。この平行線によって縞文様ができる。縞は文様の1つの起源といえるだろう。それは、畑の畝（うね）を切る耕作という仕事に似ている。耕作は英語でカルティヴェートという。なにもない地に筋を切ると、見えるものとなる。カルティヴェートはカルチャー（文化）のはじまりである。そして、文様のはじまりでもある。

　線を引いて空間を見えるものとする。縞は単純な形であるが無限の変化を含む。間隔や太さを変えて組み合わせるとさまざまな縞があらわれて、私たちを楽しませる。縞という字が示すように、特に織物においてはその魅力が輝いている。

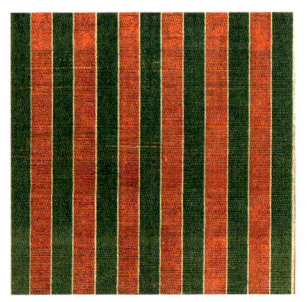

『トルコ製ビロード絣絹織物』　17-18世紀　フランス、リヨン織物美術館蔵

『壁と天井の現代装飾』より「天井とパネルのデザイン」　カルル・ロイト画／1928年／ドイツ刊

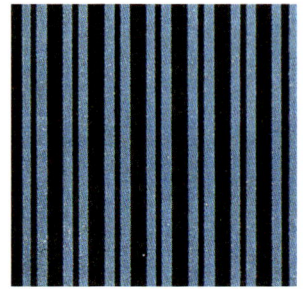

『壁と天井の現代装飾』より「天井とパネルのデザイン」　カルル・ロイト画／1928年／ドイツ刊

『世界装飾図集成』より「18世紀のオリジナルに基づく絹織物」　オーギュスト・ラシネ著／1873-87年／フランス刊

『世界装飾図集成』より「18世紀のオリジナルに基づく絹織物」　オーギュスト・ラシネ著／1873-87年／フランス刊

壁紙「リリー・ボーダー」　ジョン・ヘンリー・ダール作／1955年／イギリス、ヴィクトリア＆アルバート美術館蔵

幾何学文様

格子
縦と横の組合せ

主に使われた様式：ルネサンス、アーツ・アンド・クラフツ運動、アール・デコ

　縦縞を横縞と重ねると格子ができる。文様の第2ステップといえるだろう。英語で格子をあらわす語にはラティス、グリッド、グリルなどがある。ラティスはラス（木舞（こまい）、細い木の棒）からきており、木の格子。グリッドやグリルは鉄からきていて、鉄格子、金網のことである。

　文様としての格子は、直線による構成で、縞よりもさらに、織物の組織に似ている。かつて、織物によってあらわれる形から文様ができたという説が出されたことがあった。今では織物以前から縞や格子の形があったことが証明されている。

　格子文においては、格子の線と、それによって囲まれた四角のどちらを図とするかで2つの見方がある。線を図とすれば、四角は地、すき間になる。格子戸や金網はこちらに入る。一方、四角を図とすれば、格子の線は地、区分、輪郭ということになる。この場合は四角い石やレンガ積みの壁などが1つの例になる。それぞれ、さまざまな変化がある。格子の交差点に飾りをつけたり、斜めの格子にしたりする。あくまで格子の線を強調した文様はチェックといわれる。これはチェッカーボード（チェッカー盤）からきている。縦横8ずつの目の盤でゲームをするのである。チェッカーボード文様は四角い目が1つおきに同色になるよう、2色に塗られている。日本では市松文様といわれる。スコットランドの北部ではタータンといわれる毛織物がつくられ、クラン（氏族）ごとにちがった格子文を使ったのでタータン・チェックといわれた。文様が家族や氏族の紋章としての意味を持つ例である。

フランス製染織　1864年／フランス、ミュルーズ染織美術館蔵

スコットランド製タータン・チェックの織物

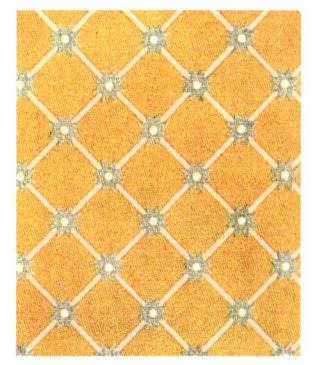

『壁と天井の現代装飾』より「天井の装飾」
カルル・ロイト著／1928年／ドイツ刊

117

幾何学文様

三角・ウロコ
山と波と

4
Triangle

主に使われた様式：エジプト、ローマ、ビザンチン、ルネサンス、アール・デコ

　直線に斜線が重なると三角形があらわれる。四角は2つの三角に分割される。それはさらに分割される。三角形の列は、ギザギザな折れ線や曲線をつくり出す。三角形の頂点を上に向けると山形になり、下に向けるとウロコ状または波形になる。上向きか下向きかで、三角の列は山形と波形、地上世界と地下世界と、イメージを変えてゆく。

　下向きの三角の列をずらして、上の列のギザギザの間に下の列のギザギザがくるように重ねていくと、ウロコに近づいていく。三角の角をまるめるとさらにウロコに近くなっていく。直線と斜線の交叉は意外なほど多様な形を出現させ、私たちをおどろかせる。

『世界装飾図集成』より「ローマ・ビザンチンの琺瑯塗り、硬石製モザイク」　オーギュスト・ラシネ著／1873-87年／フランス刊

雑誌『アール・グー・ボーテ』No.28
見返しの文様　1922年／フランス刊

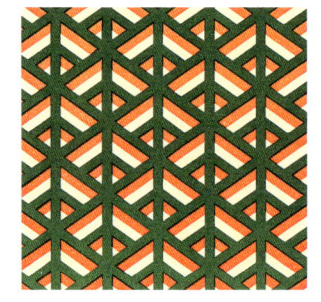

『壁と天井の現代装飾』より「天井とパネルのデザイン」（部分）　カルル・ロイト著／1928年／ドイツ刊

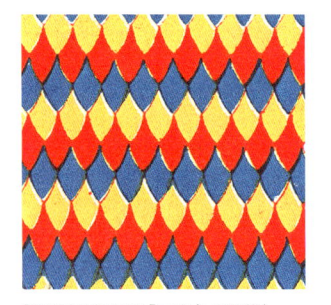

『装飾の文法』より「エジプトの装飾」
オーウェン・ジョーンズ著／1856年／イギリス刊

『装飾の文法』より「ルネサンスの装飾」
オーウェン・ジョーンズ著／1856年／イギリス刊

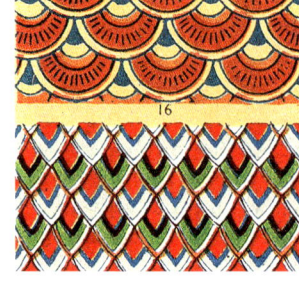

『装飾の文法』より「ルネサンスの装飾」
オーウェン・ジョーンズ著／1856年／イギリス刊

幾何学文様

5 四角・菱・多角
Square
空間をすき間なく埋める

主に使われた様式：エジプト、ローマ、ビザンチン、ルネサンス、アール・デコ

　格子から出発する四角文は、角が90度の方形から、角が変化して歪んだ四角である菱形などに展開してゆく。さらに四角から五角、六角などの多角形へと展開していく。多角形をすき間なく敷きつめて、連続的な1つの面をつくり出すことが装飾の問題となる。1種類の多角形だけでなく、四角と八角といった2つの多角形の組合せも、連続的な面をつくることができる。

　直線と斜線の組合せによる分割の中央や交点に、小さなモチーフがほどこされると、幾何学的なグリッド（枠）は急にいきいきとした様相を見せ、垣根に花が咲いたような、春のような気分を漂わせる。

雑誌『アール・グー・ボーテ』No.67
見返しの文様　1926年／フランス刊

『世界装飾図集成』より「中世のモザイク」
オーギュスト・ラシネ著／1873-87年／フランス刊

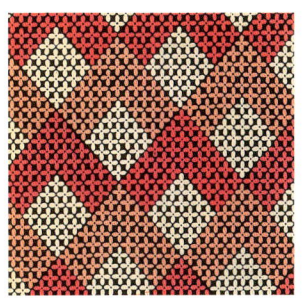

雑誌『アール・グー・ボーテ』No.75
見返しの文様　1926年／フランス刊

雑誌『アール・グー・ボーテ』No.40
見返しの文様　1923年／フランス刊

『装飾の文法』より「ペルシアの装飾」
オーウェン・ジョーンズ著／1856年／イギリス刊

『世界装飾図集成』より「ローマ・ビザンチンの琺瑯塗り、硬石製モザイク」オーギュスト・ラシネ著／1873-87年／フランス刊

幾何学文様

円
コンパスの回転

主に使われた様式：エジプト、メソポタミア以降の様式

　1つの点にコンパスの針を置いて、ぐるりと回転させると円ができる。直線に対して曲線、回転が加わって新しいステップに達する。

　円は形として、周囲の円環と中心点から円環までの空間という2つの面から見ることができる。円環は正円だけでなく、楕円へと変換させることができ、多様な円文をつくることができる。円環には縁どりをつけ、フレームとして、円内にさまざまな絵を描き、まるい額縁をつけたモチーフを1つの単位として縦横に、または斜めに並べて、大きな構成をつくることができる。

　中心から円環への方向から見ると、中心から放射型のパターンと考えることができる。円花文はその代表例である。太陽のように中心から光が放射されていると見てもよい。また中心の小さな点からしだいに大きな円が、同心円として重なっていって円環に達するパターンもある。ちょうど池に石を投げこむと、そこから波紋がひろがっていくようにである。

　以上のように、まわりと中心の2極から円文は発達してさまざまな変化を見せる。円文の特徴としては、円環が完結しており、閉じていることがあげられる。円は回転によって与えられるが、曲線は閉じ、まわりから切り離された空間をつくる。縞や格子が端が開かれ、まだつづいていくような空間をつくるのと対照的である。

　円文は閉じた空間で、円文と円文の間は離れている。すき間があり、非連続で、静的であるのがその特徴である。

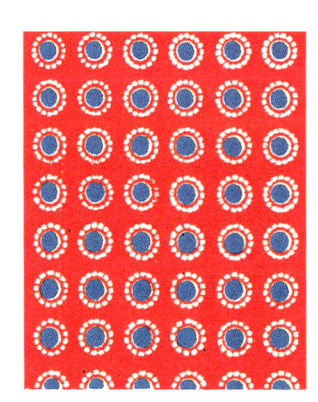

『装飾の文法』より「エジプトの装飾」
オーウェン・ジョーンズ著／1856年／イギリス刊

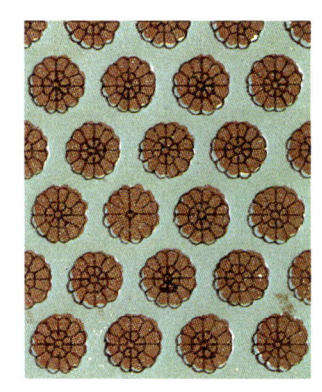

『装飾の文法』より「メソポタミアとペルシアの装飾」　オーウェン・ジョーンズ著／1856年／イギリス刊

『装飾の文法』より「インドの装飾」
オーウェン・ジョーンズ著／1856年／イギリス刊

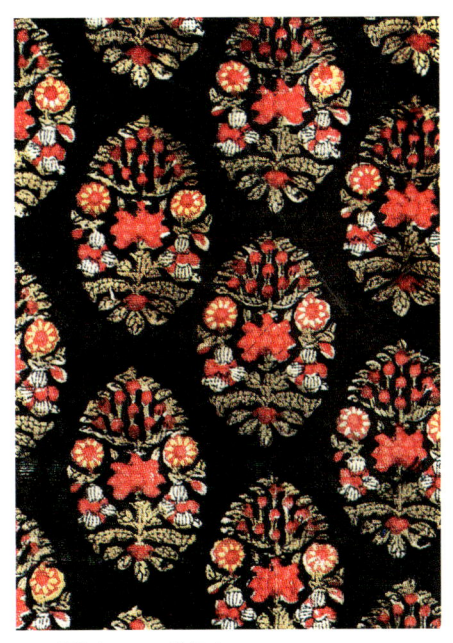

インド製半サロン　19世紀／フランス、
ミュルーズ染織美術館蔵

トルコ製金・銀絹糸織物　16世紀後半／イギリス、
ヴィクトリア＆アルバート美術館蔵

トルコ製絹織物　17世紀／イギリス、
ヴィクトリア＆アルバート美術館蔵

フランス製染織「狐とこうのとりのメダイヨン」
1795年頃／フランス、ミュルーズ染織美術館蔵

幾何学文様

C字・S字
円のかけらの散乱

主に使われた様式：ロココ、アーツ・アンド・クラフツ運動、19世紀、アール・ヌーヴォー

　Cは円の一部が欠けたものと見られる。SはCにもう1つのCを反転させてつないだ形である。円がふくらんではじけ、輪の一部が切られたともいえる。円はこわれたのだが、閉ざしていた輪が開いて自由になったのである。すでにのべたように、円文はそれ自体は孤立し、非連続である。ところがCやそれがねじれてつながったSはオープンで流動的に浮遊し、いろいろなものをつなぎ、連続的な空間をつくりはじめる。円文からC字・S字文へのステップは、文様に流れるような動きをもたらし、平面を一体的に構成していくのである。CやSが自由に躍りはじめるのは18世紀のロココ様式の時代である。

フランス製染織　1896-1900年頃／フランス、ミュルーズ染織美術館蔵

フランス製モワレ文様の染織の地の見本　1825-30年頃／フランス、ミュルーズ染織美術館蔵

壁紙「庭のチューリップ」　ウィリアム・モリス作／1885年／イギリス、ヴィクトリア＆アルバート美術館蔵

『世界装飾図集成』より「18世紀のオリジナルに基づく絹織物」　オーギュスト・ラシネ著／1873-87年／フランス刊

『世界装飾図集成』より「18世紀のオリジナルに基づく絹織物」　オーギュスト・ラシネ著／1873-87年／フランス刊

フランス製花束リボン文様縫取綿の絹織物　18世紀／フランス、リヨン織物美術館蔵

幾何学文様

山形・波形・鋸歯

ジグザグのリズム

主に使われた様式：エジプト、メソポタミア、アール・デコ

山形、波形は三角文からの発展である。平面はまるで折りたたんだような錯覚をもたらすものもある。鋸（のこぎり）の歯の形といわれることもある。線はなめらかに、ゆっくり曲がるのではなく、いきなり方向を転じ、鋭角的に曲がる。

1920年代のアール・デコはこのようなジグザグ、ギザギザの線を好んだ。アール・ヌーヴォーの植物的な曲線にあきて、スピーディーな、はっきりした展開を好んだからともいわれる。角づけをした、くっきりした形を時代が求めたのだろうか。のんびりした時代の文様と、せわしない時代の文様があるらしい。

『装飾の文法』より「インドの装飾」
オーウェン・ジョーンズ著／1856年／
イギリス刊

『装飾の文法』より「エジプトの装飾」
オーウェン・ジョーンズ著／1856年／
イギリス刊

『壁と天井の現代装飾』より「パネルのデザイン」　カルル・ロイト著／1928年／ドイツ刊

『壁と天井の現代装飾』より「パネルのデザイン」　カルル・ロイト著／1928年／ドイツ刊

『壁と天上の現代装飾』より「パネルのデザイン」　カルル・ロイト著／1928年／ドイツ刊

雑誌『アール・グー・ボーテ』No.62
見返しの文様　1925年／フランス刊

幾何学文様
渦巻・らせん
めまいの空間

g Spiral

主に使われた様式：エジプト、メソポタミア、中国、ペルシア・イスラム、ケルト

　渦巻はぐるぐる旋回する円で、のぞきこむとめまいがする。静的な円ではなく、中心から外へ向かって、または外から中心に向けダイナミックな曲線が巻いてゆく。それぞれ遠心力や求心力が働くので、同じ円周軌道をぐるぐるまわるのではなく、外または内へと進んでいく。らせん状のミゾが切られたネジのように、回転させると、前か後ろへと動いてゆく。

　このような渦巻文は、円がこわれたもの、C字文などから発達したと思われるが、そのくるくる巻いた形は原始時代から描かれていた。その形にはもちろん原始信仰的、呪術的意味がこめられていた。スパイラル（渦巻）は、生と死の象徴であった。くるくると渦の中心にのみ込まれていくのは死であり、中心から外に向かってのびていくのは生である。時計まわりは成長を、反時計まわりは、破壊、死であるといわれる。

　古代中国では渦巻は雷をあらわすといわれる。また2つのスパイラルが絡み合う巴文、さらに三つ巴など多くの渦巻も発達した。巴は中国の陰陽の二元論をあらわすといわれる。

　渦巻は、海の渦巻の形からきたとか、蛇の絡んだ形からきたといわれる。このような実在のものの形から文様が模倣されたという文様起源説は、1つの見立てにしかすぎない。神話的、伝統的起源は面白いがほとんどあとから考えられたものだ。

　スパイラルも円がこわれて、その一方がくるっと巻き、曲線が動きはじめるという新しいステップのうちに誕生したパターンだったのではないだろうか。

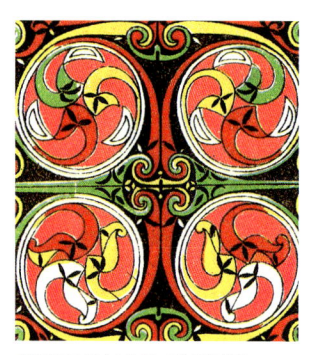

『装飾の文法』より「ケルトの装飾」
オーウェン・ジョーンズ著／1856年
イギリス刊

『世界装飾図集成』より「エジプトの壁画」
オーギュスト・ラシネ著／1873-87年
フランス刊

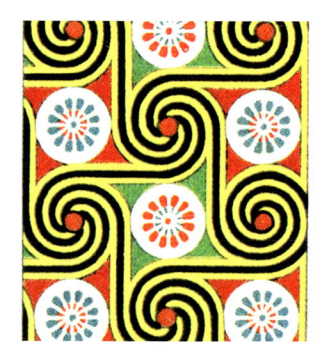

『世界装飾図集成』より「エジプトの壁画」
オーギュスト・ラシネ著／1873-87年
フランス刊

『世界装飾図集成』より「エジプトの壁画」
オーギュスト・ラシネ著／1873-87年／フランス刊

『世界装飾図集成』より「エジプトの装飾絵画」
オーギュスト・ラシネ著／1873-87年／フランス刊

『世界装飾図集成』より「エジプトの装飾絵画」
オーギュスト・ラシネ著／1873-87年／フランス刊

『世界装飾図集成』より「エジプトの装飾絵画」
オーギュスト・ラシネ著／1873-87年／フランス刊

トルコ製らせん草花文台付鉢
16世紀前半／イギリス、
ヴィクトリア＆アルバート美術館蔵

125

幾何学文様

メアンダー（雷文）

ギリシアの鍵形

10
Meander

主に使われた様式：エジプト、ギリシア

　メアンダーは小アジアの川の名で、曲がりくねった水路で知られていた。1本の線を折り曲げてできる文様の名となっている。直角に曲げられ、ちょうど指を折り曲げたような形になる。それは2つの鍵形が組まれたようなので、グリーク・キイ（ギリシアの鍵）、グリーク・フレット（ギリシア雷文）とも呼ばれる。そして、2つのグリーク・キイを重ねると、卍文ができる。

　グリーク・フレットは同じ形がかみ合っているので、皿の縁などにほどこされ、しっかり結びあって、こわれないという願いをこめた文様になっている。角張っている渦巻文と見ることもでき、ある空間をすき間なく埋めていく1本の線の道として、一筆描きや迷路文に接している。

『世界装飾図集成』より「エジプトの壁画」
オーギュスト・ラシネ著／1873-87年／フランス刊

『装飾の文法』より「ギリシアの装飾」
オーウェン・ジョーンズ著／1856年／イギリス刊

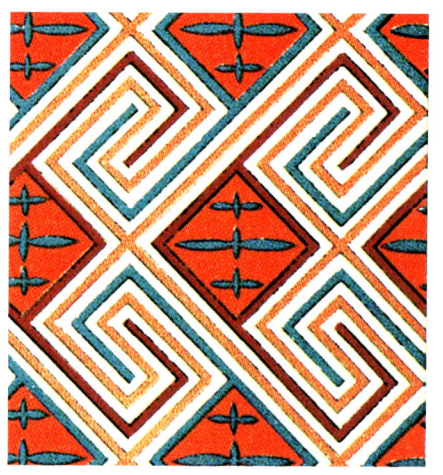

『世界装飾図集成』より「エジプトの壁画」
オーギュスト・ラシネ著／1873-87年／フランス刊

126

幾何学文様

ギローシュ(組紐文)

11 Guilloche

綾取り遊び

主に使われた様式：メソポタミア、ペルシア・イスラム、ケルト、ビザンチン、ロマネスク、ルネサンス、バロック、19世紀

ギローシュ(ギヨーシュ)は〈組紐の帯〉といわれ、複数の紐が絡み合い、あるモチーフをくりかえしてゆく。ある軸に沿ってリピートしていくのがふつうである。組紐は装飾平面をもぐったり出たりして、平面性を保ちつつ、3次元の奥行きを感じさせるのが魅力である。組紐文はアッシリアで使われ、ケルトで発達した。ビザンチン、ロマネスクでも人気があった。そしてルネサンスで、古代、中世、イスラムなどの組紐が集成された。イスラムでは、90度、135度などに線が曲げられ、角張っているのが特徴である。曲線と直線のギローシュはバロックからネオクラシックの時代に、家具装飾によく使われた。

(上3点)『世界装飾図集成』より「中世のケルト装飾」 オーギュスト・ラシネ著／1873-87年／フランス刊

(下2点)『装飾の文法』より「装飾写本」 オーウェン・ジョーンズ著／1856年／イギリス刊

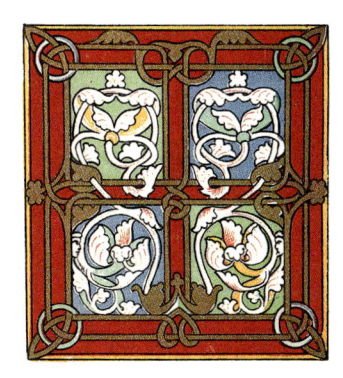

幾何学文様

ドット
気ままな撒布

Dot

12

主に使われた様式：19世紀、アール・デコ

ポンと点を打つ。まっ白い空間にある焦点ができる。その点からまっすぐ線を引くこともできるが、別の点を打つこともできる。どんどん点を打ってゆく。規則的に離して打ってもいいが、でたらめに打っていっても、やがて1つの地ができる。ひとつかみの種をばらまいた、と考えてもいい。文様はある原則で点や線を構成していくが、時にはその原則を破る新しい可能性が生まれてくる。ドットは単純であるが、規則性、不規則性の境界を自由に越えていける文様としてつきない面白さを持っている。私たちは原則的には歩いているが、時にポンと跳ねてみたり、寄り道をしてみたくなる。

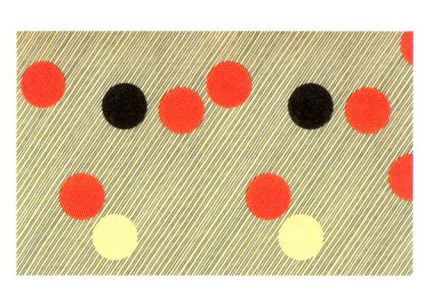

雑誌『ジュルナール・デ・ダーム・エ・デ・モード』プレート104
ジョルジュ・バルビエ画／1913年／フランス刊
ドット文様をプリントした寒冷紗（織目のあらい裏地綿布）のローブ。

雑誌『アール・グー・ボーテ』No.128（上）、No.151（下）
見返しの文様　上：1931年、下：1933年／フランス刊

幾何学文様

13 Cartouche

カルトゥーシュ
華やかな縁飾り

主に使われた様式：ルネサンス、バロック、ロココ

　カルトゥーシュはカートリッジと語源が同じで、なにかを包むものである。装飾的には、銘を刻んだ板の額縁に使われ、渦巻文をほどこした派手な飾りのことをいうようになった。皮細工がくるっと巻いているような形を使ったので巻皮装飾などともいわれる。カルトゥーシュははじめ建築に使われたが、やがて家具に使われ、さらに本の扉絵に使われた。バロック時代には大流行した。フレームの飾りで脇役なのであるが、中央の絵の部分より、まわりのカルトゥーシュの方が目立つほど過剰な装飾がほどこされ、〈カルトゥーシュ〉は見せかけだけの豪華さといった意味を持つようになった。

『世界装飾図集成』より「ルネサンスの写本装飾・木製カルトゥーシュ」　オーギュスト・ラシネ著／1873-87年／フランス刊

『世界装飾図集成』より「18世紀の綴織・装丁・指物（さしもの）」
オーギュスト・ラシネ著／1873-87年／フランス刊

『世界装飾図集成』より「17世紀後半の綴織と縁飾り」
オーギュスト・ラシネ著／1873-87年／フランス刊

植物文様

アカンサス
植物文の生成

14 Acanthus

主に使われた様式：ギリシア、ロマネスク、バロック、アーツ・アンド・クラフツ運動

　アカンサスはギリシアを代表する文様で、ヨーロッパに受け継がれ、バロック時代に大ブレークする。草の形はギザギザで、薊（あざみ）に似ている。葉の縁は浅く裂けているが、鋸歯状である。かつてギリシアによく見られたアカントス（アカンサス）の形からきている。

　多くの、いやほとんどの装飾の本には、アカンサスの形からアカンサス文がつくられた、と書かれているのだが、今はこのような説は通用しない。すでにアロイス・リーグルは、アカンサス文は、エジプトのパルメット文（P133）などからギリシア人が改造した文様であり、それがアカンサスに見立てられ、アカンサスの形に近づけられたのだ、といっている。それは紀元前5世紀のことであった。

　アカンサス文の原型は幾何学的なパターンであったが、生きた植物のアカンサスのイメージに近づいた時、はじめて植物の文様が本格的に展開されるようになった。それこそギリシア人が装飾文化にもたらした大きな革命であった。ギリシア人は〈唐草〉という流動線をもたらし、それにアカンサスを結びつけ、のびひろがり、生成してゆく装飾空間を出現させたのである。

　ギリシア人はコリント式の建築の柱頭にアカンサス文を開花させた。幾何学文は平面的であるが、建築装飾として3次元化されて、植物文はより豊かな展開を見せた。

　アカンサス文は、ヨーロッパのロマネスク建築の中で咲きつづけるが、中世の写本文化の中で、平面的な挿絵装飾として爆発的なひろがりを見せる。そしてバロック時代にアカンサス文は大復活を遂げる。その後は19世紀に再び盛り上がり、ゴシック・リヴァイヴァルの中でウィリアム・モリスの「アカンサス」に達している。

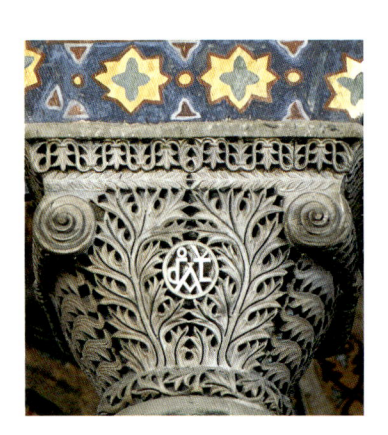

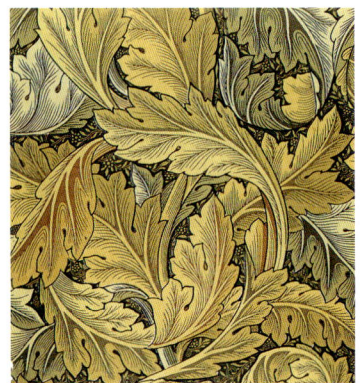

（左）ハギア・ソフィア大聖堂の柱頭装飾
350-360年頃／トルコ

（右）壁紙「アカンサス」
ウィリアム・モリス作／1875年頃／イギリス、ヴィクトリア＆アルバート美術館蔵

タペストリー「フローラ」　ウィリアム・モリス、エドワード・バーン＝ジョーン、フィリップ・ウェッブ、ジョン・ヘンリー・ダール作／1884-85年／イギリ

and deck her on her days of mirth with many a garland of renown

and while earth's little ones are fain and play about the mother's hem
scatter every gift I gain from sun and wind to gladden them

植物文様

パーム（シュロ、ナツメヤシ）

手の平と葉形

15 Palm

主に使われた様式：エジプト、メソポタミア、ギリシア、バロック、ロココ

　パーム（ナツメヤシ）はアジア、アフリカに多い木で、それをかたどった文様がつくられた。ややこしいのは、文様史では、パームの他に、パルメット（P133）という文様があることで、どちらもヤシの木の形とされている。多くの文様事典では両者の区別はあいまいで、別の種類のヤシだ、などという説明もある。文様の形としては、区別がつかないものもある。おおまかにいえば、パームは実際のヤシの木や葉の形に近づけてあり、パルメットは、より抽象化、幾何学化されている。

　まずパームには、ヤシの木という意味の他に、手の平という意味があり、手の平を広げた形とヤシの木の葉が扇状に開いた形が似ているのだ。このことは、ヤシの木の形からパーム文がつくられたのではなく、扇状に広がった形が原型としてあり、それがヤシの木の形や手の平の形に見立てられたのだ、と考えさせる。

　そうすれば、パームとパルメットのちがいも、ちがった木をモデルにしたわけではなく、共通した形をそれぞれのヤシの木に応用したのだ、と見ることができる。パームはより自然に近く、パルメットは様式化され、ヤシからは独立してしまった文様なので、やはり別にあつかおう。

　パームは勝利と喜びの象徴といわれ、古代のオリンピック・ゲームでも勝者に与えられた。有名人の象徴の縁飾りはパームが使われた。バロックからロココにかけては、パームがエキゾティックな植物文として好まれ、ヴェルサイユ宮殿のルイ14世による鏡の間（ギャラリー・デ・グラース）の柱飾りはアカンサスからパームに替えられた。

バビロニア王国イシュタル門の玉座の間正面壁画　前580年頃／ドイツ、ペルガモン美術館蔵

「貴婦人の肖像」　アレッソ・バルドヴィネッティ画／1426-99年頃／イギリス、ロンドン・ナショナル・ギャラリー蔵

イギリス製染織　1814年／イギリス、ヴィクトリア＆アルバート美術館蔵

植物文様

パルメット
ヤシの葉の団扇

16 Palmetto

主に使われた様式：エジプト、メソポタミア、ギリシア

　古代エジプト以来の最古の文様の1つであるが、私はこれを見ると、天狗の団扇を思い浮かべる。指を開いた手の平の形のように、分かれた花弁が立っている。その下の萼（がく）が左右にのび、くるっと巻いている。この基本形がさまざまに変化してゆく。萼の延長が花をすっぽり包み、円形または上が尖った銀杏形になっているものもある。

　クラシックな文様のリヴァイヴァルの時は必ずこのパルメットが甦る。文様の基本形というのは装飾の海の中に沈んでいて、いつでも浮かび上がってくることができるのだろう。

保存用の壺　前510年頃／ギリシア

フランス製縫取錦の絹織物　18世紀／フランス、リヨン織物美術館蔵

マホガニー製腰かけ椅子
1807年／ロシア、
パヴロフスク宮殿蔵

植物文様

ロータス（蓮華）

母なる文様

主に使われた様式：エジプト

　古代エジプトからインドにいたるまで、ロータス文は見られるが、特にエジプトが中心である。洪水で沈み、水が引くとあらわれて咲くロータスはエジプトにとって豊穣と再生を意味していた。しかしロータスの花からロータス文がつくられたのではなく、逆三角形の頂点から垂直線を下ろした基本形が花形に見立てられ、エジプトで特に、ロータスの花形に近づけられて成立したのだろう。エジプトでは上がギザギザの形が基本であるが、上がゆるやかな曲線で閉じられ、銀杏の葉形やワイングラス形に変化し、世界中に伝わってゆき、シルクロードを通って日本にも達し、蓮華文とも呼ばれている。

『装飾の文法』より「エジプトの装飾」
オーウェン・ジョーンズ著／1856年／イギリス刊

『世界装飾図集成』より「エジプトの壁画」
オーギュスト・ラシネ著／1873-87年／フランス刊

『世界装飾図集成』より「エジプトの壁画」
オーギュスト・ラシネ著／1873-87年／フランス刊

古代エジプトの
ナクトの墓の壁画
前1350年頃／
イギリス、
大英博物館蔵

植物文様

月桂樹
勝者への冠

主に使われた様式：ギリシア、19世紀、アール・ヌーヴォー

ローレル（英語）、ローリエ（仏語）にはいくつか種類がある。古いのは地中海沿岸に産したダフネー（ダフニ）で、ギリシア神話によれば、アポロン（アポロ）に追われたダフネーが河岸で月桂樹に変身したといわれる。そのため、アポロンの木とされる。文様の形としてはのびる枝に左右対称の2枚ずつの葉が並べて描かれる。この葉でつくった冠はスポーツや文芸の勝者に与えられる。英国ではすぐれた詩人に与えられ、桂冠詩人と呼ばれた。

16世紀からチェリー・ローレルがヨーロッパに輸入され、一般的なものとなった。葉と葉の間にチェリーのような実がなるので、文様としては葉と点（実）がくりかえされる。ミュシャが描いたのはこちらである。中国では月に生える桂の樹と見た。

古代ギリシアの陶器 前5世紀頃／ギリシア

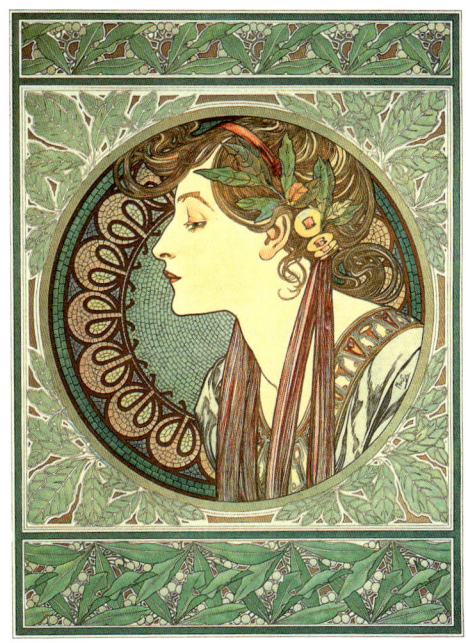

装飾パネル「月桂樹」 アルフォンス・ミュシャ画／1901年／フランス

フランス製紋ビロード 1900年／フランス、リヨン織物美術館蔵
紅地の月桂樹にREの文字文様。

植物文様

19 バラ
Rose
花々の女王

主に使われた様式：ゴシック以降の様式

バラは最も華やかで、ギリシアの女神アプロディテー（ウェヌス、ヴィーナス）の花でもあり、聖書の聖母マリアの花でもある。そして美しい花である一方、とげのある茨のつるを持つ花でもある。アプロディテーが愛する美少年アドーニス（アドニス）のもとに駆けつける時、バラのとげに足を引っかけ、その血でバラが染まって赤いバラになった、という話がある。

文様としてのバラも、花そのものと、絡みあう、とげのある茨のつる草という2つの相によって描かれる。美しい花は茨によって守られている。バラの花ははじめ、シンプルな円花であったが、しだいに花弁が複雑に重なり、巻いていく花形へと発展していく。シンプルな円形はロゼット文（P151）へと展開したと見ることができる。

このようにバラは、美しさとそれを隠すミステリアスなおおい、という二重の構造を持つ花になっていった。眠り姫のおとぎ話はそのことを語っている。美しい姫が魔法によって眠らされる。まわりに茨の森が茂る。やがて王子がその森を切り開き、姫を目覚めさせる。バラは眠れる森の美女を象徴しているのである。

キリスト教ではバラと十字が組み合わされる。バラはバラ十字として、永遠の世界を意味するものとなる。バラの園は楽園を囲み、それを守っている。

バラの文様では、花とつる草という2つの形がバラの二面性をあらわしている。華やかな開花とそれをおおいかくそうとするつる草の2極が、装飾空間にダイナミックな対話をもたらすのである。

「バラ園の聖母」　シュテファン・ロッホナー画／1448年頃／ドイツ、ヴァルラフ・リヒャルツ美術館蔵　バラの園は天上の楽園を意味し、マリアが天の女王であることを示している。

バラと緑葉とチューリップが
描かれた扇
1720年頃／イギリス、
ヴィクトリア＆
アルバート美術館蔵

フランス製衣裳用ファブリック
1750年代／イギリス、ヴィクトリア＆アルバート美術館蔵

イギリス製室内装飾・衣裳用ファブリック
1760-65年／イギリス、ヴィクトリア＆アルバート美術館蔵

ウィーン分離派仮装舞踏会への招待状（1911年2月18日開催）
1911年／日本、大阪近代美術館蔵

テキスタイル・デザイン「バラと涙」　チャールズ・レニー・
マッキントッシュ画／1915-23年頃／イギリス、
グラスゴー大学ハンタリアン・アートギャラリー蔵

137

植物文様

ゆり
泥中に咲く花

20 Lily

主に使われた様式：ゴシック以降の様式、アール・ヌーヴォー

　旧約聖書のソロモンの雅歌に「乙女たちの中にいる私の恋人は茨の中に咲き出でたゆりの花」とうたわれている。ゆりとロータス（P134）は似たところがあるといわれ、どちらも泥水の中からすっくと立ち上がり、汚れに染まらない清らかな花を咲かせる。ゆりは、白さ、純潔などをあらわし、聖母マリアの花といわれる。マドンナ・リリー（聖母のゆり）は6片の花で、古くから知られている。

　ギリシア神話では、ペルセポネー（プロセルピナ、パーセフォネー）は、野ですみれとゆりを摘んでいる時、地獄の王にさらわれる。ゆりはゼウス（ユピテル、ジュピター）の妻ヘーラー（ユーノー、ジュノー）の乳から生まれた花で、純潔性を意味していた。

　その一方で、ゆりはその筒状の花形から、男性のシンボルであるともされてきた。フランス王はゆりの紋章（フルール・ド・リス）を用いるが、それは男らしさ、権力の象徴であった。ゆりとざくろ（P154-155）はペアで使われて、男と女をあらわすこともある。

　フランスの紋章のフルール・ド・リスは、噴水のように噴き上げる3弁の花を形どる。中央の花びらは剣のようにまっすぐ立っている。全体で十字が示され、剣と十字で、キリスト教のために戦う王を意味している。

　このようにゆりは、両性的な意味を持っている。ゆりは非常に種類の多い花なので、1つの意味に限定できないようだ。花形としては、まだ開かない、長い筒状と大きく開花した形があり、開花した形でも上からのぞいたものと、フルール・ド・リスのように真横から見た形がある。古代オリエント、クレタなどにはじまり、ゆりの文は古い歴史を持っている。おそらく起源においては、ロータス、パルメットなどと共通した形だったろう。

サント・シャペルのフルール・ド・リスで飾られた尖塔
設計：ピエール・ド・モントルイユ／1243-48年／フランス

クノッソス宮殿遺跡の壁画「ゆりの王子」（レプリカ）
前16世紀頃／ギリシア

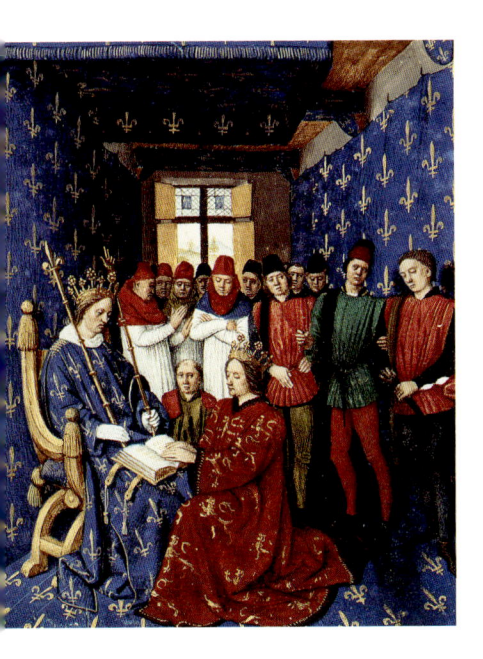

1 　装飾写本より「フィリップ4世とエドワード1世」
　　ジャン・フーケ画／1480年／フランス

2 　多翼祭壇画（部分）　カルロ・クリヴェッリ画／1470年頃／イタリア、
　　サン・フランチェスコ教会付属美術館蔵

3 　装飾パネルシリーズ「花4部作」より〈ゆり〉　アルフォンス・ミュシャ画／
　　1898年／フランス

21 Narcissus

植物文様

水仙
水に映る私

主に使われた様式：ギリシア以降の様式、アール・ヌーヴォー

ギリシア神話では河の神の子、美少年のナルキッソス（ナーシサス）が水に映る自分の姿に見入り、ついに花になってしまったという。自分だけを愛するナルシシズムの語源となった。白に黄や赤を散らした美しい花で、文様としては正面から6片の花びらを描いたものと、側面から左右に開いた萼（がく）の中心に噴水のように立ち上がり、上が開いた形を描いたものがある。虚栄、自己愛のシンボルとされる。ナルというのは眠りに誘うことで、水の中でうつらうつらして、自分に閉じこもっている花なのだろうか。苦痛をやわらげる花という意味もある。麻酔薬の役目を果たすのだろう。

オランダの装飾写本の装飾文字「E」
1450年頃／イギリス、ヴィクトリア＆アルバート美術館蔵

水仙文様の手鏡
フランシス・ジョージ・ウッド作
1901年／イギリス、ヴィクトリア＆アルバート美術館蔵

ゴシック様式の聖ナルキッソスの墓　フアン・デ・トゥルネー作／14世紀／スペイン

植物文様

アイリス

22 Iris

ヴェールをゆらめかせて

主に使われた様式：中国、ペルシア・イスラム、アール・ヌーヴォー、アール・デコ

　イーリス（イリス、アイリス）はギリシアの虹の女神である。ゼウス（ユピテル、ジュピター）やヘーラー（ユーノー、ジュノー）などの使者としてあらわれる。虹が出ると、いい知らせだ、といわれる。長い衣の上にヴェールをまとい、翼を持った姿で描かれる。アイリスは、そのような姿に似た花としてイメージされたのだろう。虹色ともいえるような紫の色を持ち、花びらは大きくてゆるやかにうねっている。まるで、ヴェールをまとって踊っている女神のようだ。

　アイリスはゆり（P138-139）や水仙（P140）と似た花形をしていて、文様的には共通のパターンを持っている。それぞれの花から文様ができたのではなく、ある原型からそれぞれの花文へと分化していったのだろう。

マスジェデ・ナスィー・アル・モスクの装飾　1850年／イラン

オランダ製絵皿
製造：ウェデュウェ・N・S・A・ブランタイス社／1900年頃／イギリス、ヴィクトリア＆アルバート美術館蔵

アイリス文ブレスレット
ルネ・ラリック作／1897年／アメリカ、個人蔵

141

23 Violet

植物文様

すみれ
可憐な乙女たち

主に使われた様式：ゴシック、19世紀、アール・ヌーヴォー

　すみれには、本来のすみれ色のすみれ（ヴァイオレット）と3色すみれ（パンジー）が含まれる。ギリシア神話によるとエロース（クピド、キューピッド）がうっかり愛の矢を落とし、もとは白かった花は傷ついて、紫色の傷あとが残ったという。すみれには、かわいそうな愛といったイメージがある。

　明治時代に星菫（せいきん）派と呼ばれた詩人たちがいた。星やすみれといったセンチメンタルなものばかりをうたったからである。小さな野の花へのあこがれは、19世紀末の気分を映していた。

1 フランス製シルクガーゼにパンジーを描いた扇
ロノット・テューティン作／1890-1900年頃／イギリス、ヴィクトリア＆アルバート美術館蔵

2 装飾写本『時禱書』
1483年／ベルギー

3 すみれ文のランプ
エミール・ガレ作／1900年頃／日本、北澤美術館蔵

植物文様

24 ひなぎく
Daisy
小さな野の花

主に使われた様式：ゴシック、アーツ・アンド・クラフツ運動、アール・ヌーヴォー

　英語のデイジーはデイズ・アイ（昼の目）からきているという。夜は閉じて、昼咲いている花である。ギリシアでは真珠にたとえられた。キリスト教では清純な処女性をあらわす花とされ、聖母子に供える花であった。

　小さな円花文として表現され、小さな太陽といわれ、明るい野に咲いている。天国の庭にもこの花が咲き乱れているという。小さな宝石をばらまいたような、素朴で派手ではないが、澄んだ明るさをもたらしてくれる。

　装飾文様としても、シンプルで、わかりやすい、フォーク・アート的なのどかな空間をつくっている。

1　装飾写本『時禱書』　1480-90年頃／
フランドル地方（現オランダ南部、ベルギー西部、フランス北部）

2　壁紙「ひなぎく」　ウィリアム・モリス作／1862年／イギリス、ヴィクトリア＆アルバート美術館蔵

3　『英国の吟遊詩』　ホスキンズ・アブラハル著／1872年／イギリス刊

143

25 Forget-me-not

植物文様

忘れな草
可憐な思い出

主に使われた様式：ロココ、19世紀（特にヴィクトリアン）、アール・ヌーヴォー

　英語ではフォゲット・ミー・ナット（私を忘れないで）という。小さな青い花で、文様としては6つの青い円を集めたロゼットとして描かれる。この花の意味は、青い色からきている。青は空であり、永遠を意味する。変わらない夢、友情をあらわしている。フォゲット・ミー・ナット・ブルーという色名がある。

　ロマン派は青い花を愛した。小さな野の花である忘れな草のつつましい姿は、はかなく過ぎ去っていくものを惜しむ気持ちをかきたてた。忘れな草の文様は、友情のしるしや別れの記念などの思い出の品々に使われた。

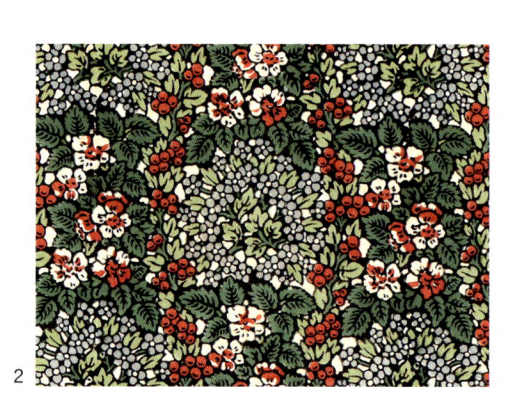

1　フランス製ダイヤモンドとトルコ石のブローチ
1820-40年／イギリス、ヴィクトリア＆アルバート美術館蔵

2　内装用ファブリック
「忘れな草」
制作：リバティ社／1910-14年／イギリス、ヴィクトリア＆アルバート美術館蔵

3　クリスマス・カード
19世紀／イギリス

植物文様

26
Camellia

椿
ジャパニスムの香り

主に使われた様式：
アール・ヌーヴォー

　椿はアジア原産で、東方からヨーロッパにももたらされたといわれる。寒い時に咲くので、ヨーロッパでは温室で育てられる。英語でカメリアといわれるのはカメル（ラクダ）の花という意味らしい。ラクダに運ばれてきたのだろうか。砂漠の花と思われたのだろうか。ともかくシルクロードを伝わってきたオリエンタルで、エキゾティックな花というイメージがある。

　19世紀にはアレクサンドル・デュマ・フィスの『椿姫』がサラ・ベルナール主演で上演され、大ヒットした。椿のイメージには当時はやっていたジャパニスム（日本趣味）の影響が強い。アール・ヌーヴォーも椿文を好んだ。

壁紙「椿」ルイス・フォアマン作／制作：ジェフリー社／イギリス、ヴィクトリア＆アルバート美術館蔵

ポスター「サラ・ベルナールの椿姫」
アルフォンス・ミュシャ画／1896年／イギリス、ヴィクトリア＆アルバート美術館蔵

植物文様

ポピー
赤いエクスタシー

主に使われた様式：アール・ヌーヴォー、アール・デコ

　赤い罌粟（けし）の花は美しいが、どこか危険な魅力を持っている。ギリシア神話によると、デーメーテール（ケレス、セレス）の娘ペルセポネー（プロセルピナ、パーセフォネー）は、野でポピーを摘もうとした時、冥界の王ハーデース（プルート）にさらわれ、冥界に連れていかれたという。ポピーにはエクスタシーや眠りを与える成分があることは古くから知られていた。ポピーはアプロディテー（ウェヌス、ヴィーナス）の花ともいわれ、媚薬とされてきた。

　文様としてのポピーは、深紅または金赤といわれる濃厚な赤色を特徴とし、陶酔的な美しさをあらわしている。ウィーン・セセッション派（分離派）に好まれ、世紀末のデカダンスの雰囲気のうちに使われた。

ポスター「第11回分離派展」　ヨハン・フィクトール・クレーマー画／1901年／オーストリア、オーストリア国立工芸美術館（MAK）蔵

クトゥブの墓廟のポピーとアマリリス文様のタイル
17世紀／インド

イギリス製内装用ファブリック「ポピー」　リンゼー・P・バターフィールド作／制作：ターンバル＆ストックディール社／1901年／イギリス、ヴィクトリア＆アルバート美術館蔵

146

植物文様

28 チューリップ
花のワイン・グラス

Tulip

主に使われた様式：ゴシック、アーツ・アンド・クラフツ運動、アール・ヌーヴォー

チューリップは東方の原産で、ヨーロッパに入ってきたのは16世紀といわれる。1554年、トルコのスルタンがオーストリアの神聖ローマ帝国皇帝フェルディナント1世に贈ったのが最初とされるが、やがてヨーロッパで、チューリップマニア（チューリップ狂）といわれるほど大流行する。したがって、文様としてのチューリップは、17、18世紀から盛んになってくる。上部が山形のギザギザで、下がふくらんだカップ形の花形が好まれる。特にオランダでチューリップ栽培が盛んで、オランダからの移民がアメリカにチューリップをもたらした。キリスト教ではキリストの盃などといわれる。

1 トルコ製装飾皿　1575年／イギリス、ヴィクトリア＆アルバート美術館蔵

2 内装用ファブリック「チューリップ」　ジョン・ヘンリー・ダール作／制作：モリス社／1900年／イギリス、ヴィクトリア＆アルバート美術館蔵

3 イギリス製ついたて用ファブリック（暖炉の前に置く火よけ）　1725-50年／イギリス、ヴィクトリア＆アルバート美術館蔵

植物文様

千花文様・ミルフルール

花の星空

主に使われた様式：ゴシック、ルネサンス、アーツ・アンド・クラフツ運動

千花文様（ミルフルール）は小さな花を一面に散らした、図柄の背景、地文として使われる文様である。特にフランスの14世紀から15世紀にかけてはやった。ゴシック・スタイルの自然志向により、野の花の写実的表現が文様にもあらわれたのである。アネモネ、おだまき、なでしこ、バラ、すみれなどが散らされた。

千花文の原型はドット文（P128）のように、点を不規則にふりまく方法にあるだろう。規則正しく並んだ点や線ではなく、無雑作にばらまいたような地をつくることで自然さを見せようとするのである。

ゴシック時代には、聖母子像、宮廷的愛のシーンなどの背景に千花文がよく使われた。「貴婦人と一角獣」のタペストリーなどはその例である。東方的なカーペットや絹織物の細かい文様にも向いていた。

千花文のもう1つの舞台は陶磁器であった。中国陶磁などの青花文は中国の千花文様である。さらに16世紀ではイタリアで千花文様がはやる。イタリアではミルフィオリといわれ、ガラス器の文様に使われた。すでに紀元前1世紀のアレクサンドリアで千花文のガラス器が知られていたが、16世紀にリヴァイヴァルした。

19世紀には、あらためて千花文が復活した。ゴシック・リヴァイヴァルが起こったのである。小さな野の花の新鮮な形があらためて発見された。その波を受けて、ウィリアム・モリスは、千花文を壁紙や更紗のパターンとして使い、見事な野の花のデザインをつくり出した。

「プリマヴェーラ（春）」サンドロ・ボッティチェリ画／1482年頃／イタリア ウフィツィ美術館蔵

（右ページ下）
タペストリー「礼拝」ウィリアム・モリス、エドワード・バーン=ジョーンズ、ジョン・ヘンリー・ダール作 1894年／イギリス、ヴィクトリア＆アルバート美術館蔵 キリストの生誕を祝って、東方から三博士が贈り物を持って訪れたシーン。

連作タペストリー「貴婦人と一角獣」より〈味覚〉 1500年頃／フランス、国立クリュニー中世美術館蔵
貴婦人がオウムに砂糖菓子を与え、足元の猿がそれをまねて果物を食べている。

植物文様

フェストゥーン
花綱文

主に使われた様式：ギリシア、ローマ、ロマネスク、ゴシック、ルネサンス

　花や果物や葉を編みこんだ紐で、輪形にしたり、吊り下げたりする。古代ローマでフリーズ（軒下の彫刻などをほどこした部分）やパネルを飾るのに使われた。同じようなことばにガーランド（花輪）がある。フェストゥーンはフェスト（祝祭）の時の花飾りの全体を、ガーランドは個々の花飾りを意味するようだ。

　古代ローマの石棺ではフェストゥーンをかつぐ女たちが彫られ、それがつくる半円形の中に、アルテミス（ディアナ、ダイアナ）の裸を見たため、鹿にされたアクタイオーン（アクティオン）の話が示されている。

　フェストゥーンはこのように祝祭の時の生きた花や果物でつくった花綱のイメージが石に映されたのではないかといわれる。同じモチーフをくりかえし、それを曲線でつないでいくパターンはずっと受け継がれた。

1 「聖母子」　ヤン・ブリューゲル（父）、ヘンドリック・バン画／1624年頃／オランダ

2 モザイク壁画　仮面・花・果物の装飾　ポンペイ邸宅ファウヌス家より出土／前2世紀以降／イタリア、ナポリ国立考古学博物館蔵

3 アクタイオーン（アクティオン）伝説を描いた大理石の石棺　2世紀頃／フランス、ルーヴル美術館蔵

植物文様

31 ロゼット
Rosette
バラと太陽

主に使われた様式：ローマ、ロマネスク、ゴシック、ロココ

バラの花を正面から見た形とされるが、バラの花を写したというより、円花文がバラに応用されたと見るべきだろう。中心から放射状に花びらが配置されていて、インドやペルシアでは太陽のシンボルとされた。ローマでは建築装飾に使われ、天井の中央にロゼットが置かれた。中世ではゴシック寺院の正面の大きなまるいステンドグラスの窓に放射状のロゼットを何重にもちりばめたバラ窓がつくられ、7彩の虹色の光を放った。

18世紀後半のネオクラシック様式ではローマ風のロゼットが復活して、建築から家具の飾りによく使われた。

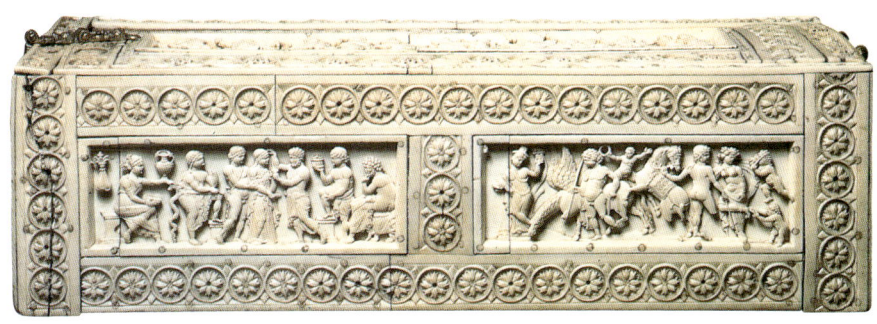

ビザンツ帝国のヴェーロリ（ローマ東南）の小箱　10-11世紀／イギリス、ヴィクトリア＆アルバート美術館蔵

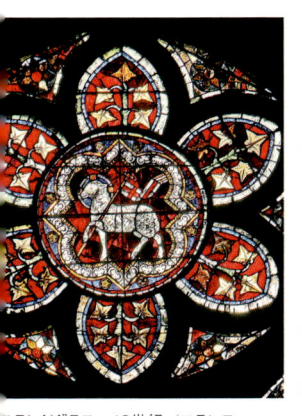

ステンドグラス　13世紀／フランス

ロング・ギャラリーの天井装飾　ロバート・アダム作／15-16世紀（1762-69年に再設計）／イギリス

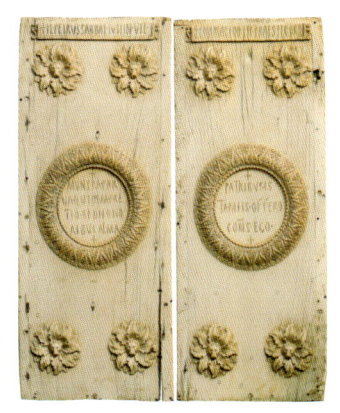

ビザンツ帝国の執政官ユスティニアヌスの象牙ディプティック（二連板）　521年／アメリカ、メトロポリタン美術館蔵

151

植物文様

ペイズリー

カシミア・ショールの花柄

32 Paisley

主に使われた様式：19世紀以降の様式

　ペイズリーは、スコットランドの町の名で、19世紀の織物工業の中心であった。ここでつくられたカシミア・ショールによく使われた文様がペイズリーと呼ばれる。先が尖り、下がまるいラッキョウのような形の中に花文がつめこまれている。松ぼっくりとかパイナップルの形ともいわれ、大きな袋に花を入れて、口をぎゅっとしぼった形のようでもある。尖った口は右か左にねじれている。

　18世紀末からインド風のショールがヨーロッパで大流行し、英国やフランスで大量につくられた。英国ではペイズリー工場製が代表的で、そこで使われたインド風の袋状の文様が〈ペイズリー〉と呼ばれるようになった。この文様そのものはそれ以前からあった。しかし、その起源はいろいろな説はあるが、まだわかってはいない。たとえば、パイナップルのような実を割って、内部を見せた、といった説がある。この文様の面白さは、文様の中にさらに文様が入っていることである。パイナップル形のペイズリーのフレームの中に花文がぎっしりとつめこまれている。その花の袋が1つのモチーフとなり、並べられて、さらに大きな装飾面を構成してゆく。その袋形は、先端をくるっと巻いた渦巻文のようにも見える。

　ペイズリー文は、インド趣味としてヨーロッパで大流行した。1870年頃にはペイズリー工場のショールは大量生産の大衆的なショールに押されていくが、ペイズリーのパターンは受け継がれる。左右対称ではなく、左右にその尾を振っているような動きのあるパターンが世紀末に好まれたのである。

「リヴィエール夫人の肖像」　ジャン=オーギュスト=ドミニク・アングル画／1805年／フランス、ルーヴル美術館蔵

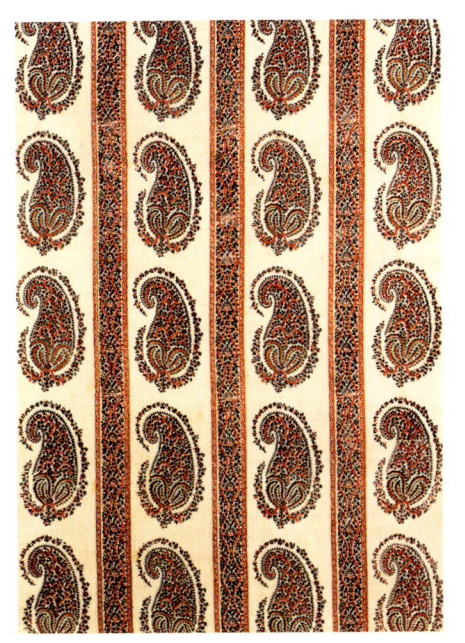

イギリス製ショール　1840-45年／イギリス、
ヴィクトリア＆アルバート美術館蔵

フランス製スカーフ　1805年頃／フランス、
ミュルーズ染織美術館蔵

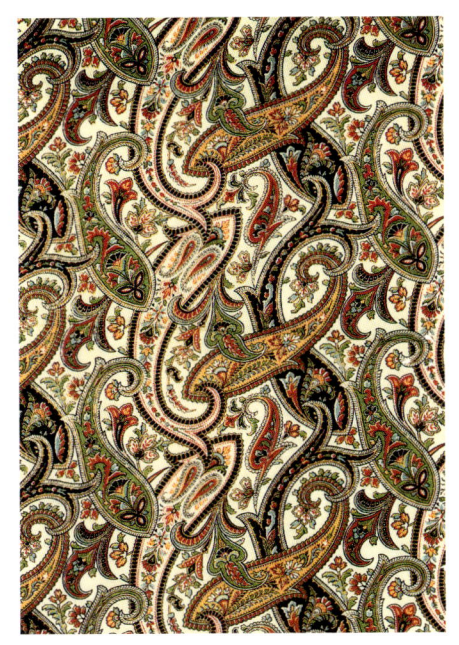

フランス製染織　1863年／フランス、
ミュルーズ染織美術館蔵

フランス製ショール　1875年頃／フランス、
ミュルーズ染織美術館蔵

153

植物文様

ざくろ
つつしみと誘惑

主に使われた様式：ルネサンス、バロック

ざくろの皮をむくと、ぎっしりと赤い種がつまっている。ざくろは、つつましさを意味するという。美しい赤い粒々はすっかり皮でおおわれて隠されているからである。また赤い粒がたくさん入っているので、豊かな実りを意味している。ちょっとすっぱい味は、ぶどうとちがって虫がつかないという。ぶどうとざくろは縁が深く、ワインにざくろの汁を入れると、長持ちするといわれた。ぶどうはギリシア神話のディオニュソース（バックス、バッカス）が持ってきた木であるといわれるが、ざくろはディオニュソースの血からできた、という伝説もある。

ざくろは古代オリエントで女神の果物といわれた。聖書においてもざくろは聖なる木、果物としてあらわれる。

ギリシア神話では、ざくろは地下的な果物といわれ、地下の冥界へさらわれたペルセポネー（プロセルピナ、パーセフォネー）がざくろをたった7粒食べてしまったので、地上にすっかりもどることができなくなり、毎年いくらかずつ、冥界で過ごさなければならなかった。ざくろには、生と死の両面が含まれていると信じられたのである。

パターンとしてのざくろは、下がふくらんだようにまるく、上がすぼまった形で描かれる。玉ねぎとか壺などの形に似ている。種を包んでいる皮がはじけて、赤い粒々がのぞいているのもある。ルネサンスからバロックにいたる絹織物などにはざくろのモチーフがよく使われた。

ざくろ文は、女性のどんな思いを語っていただろうか。虫よけ、男よけであったろうか。それとも、ちらりとのぞく赤い内部の誘惑的なほころびを意識していただろうか。

「婦人の肖像」　アントニオ・デル・ポライウオーロ画／1475年頃／イタリア、ウフィツィ美術館蔵

装飾帯のついたカズラ（彩飾された祭服）
織物：15世紀、刺繍：1434-45年／
イギリス、ヴィクトリア＆アルバート美術館蔵

イタリア製シルクヴェルヴェットのテキスタイル
1480年頃／イタリア

イラン・サファヴィ朝製縫取錦の金・銀絹糸織物　16世紀／フランス、リヨン織物美術館蔵

フランス製室内用ファブリック　制作：タッシナーリ・エ・シャテル社／1904年／イギリス、ヴィクトリア＆アルバート美術館蔵

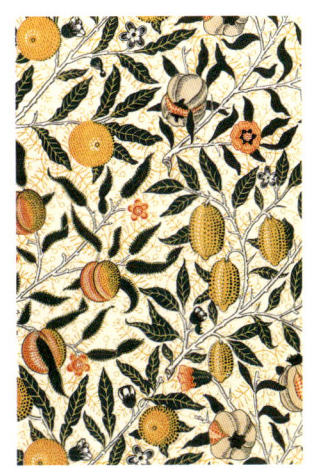

壁紙「果実あるいはざくろ」　ウィリアム・モリス作／1862年／イギリス、ヴィクトリア＆アルバート美術館蔵

155

植物文様

34 ぶどう
シルクロードに茂る

主に使われた様式：エジプト、ギリシア、ローマ、ビザンチン、
アーツ・アンド・クラフツ運動

ぶどうは、房状になった実がぎっしりと集まり、露出している。ぶどうからワインがつくられる。酒、酔い、祭りといったイメージをはずすことはできない。また、装飾モチーフとしてのぶどうは、ぶどうの房だけでなく、それをつなぐつる（ヴァイン）が重要である。ギリシアにおけるぶどう唐草の完成こそ、装飾文様の世界的な革命をもたらしたのである。

ぶどうの木は古代エジプトにもあらわれているが、そこではまだ、うねるようなぶどうづるの曲線は発見されていない。ギリシアにおいて唐草の曲線がつくられ、ぶどうと結びつく。

ローマにおいては複雑に絡み合うぶどう唐草が発達し、迷路のように平面に繁茂しているのを見ることができる。そこではすでにぶどうからつくられるワインの、豊作を祝う爆発的な酔いがもたらす楽しい踊りの気分が唐草の線にあふれているように思えるのだ。

グレープヴァイン（ぶどう唐草）という文様がギリシアで完成されたことで、ぶどうとワインの文化とともに、ぶどう唐草のパターンも世界に発信されていった。

ぶどう唐草は、形としては、ぶどうの実の房のモチーフとそれをつなぐヴァインのネットからなっている。ぶどうの房の表現は、格子文で分割したり、ドットの集まりで示したり、小球の房として描いたりする。つる草のうねりはネット状に地の部分を埋めてゆく。ウィリアム・モリスは、ぶどうのリアルな形をとりもどしつつ、ネットの空間を明快に層分けして、私たちの目に快適な秩序を与えてくれる。

1

2

コンスタンツァの霊廟の天井画　4世紀頃／イタリア、サンタ・コンスタンツァ聖堂
コンスタンティヌス帝の娘コンスタンツァのまわりをぶどう唐草が覆い、故人を護っている。

1　古代エジプトのナクトの墓の壁画「豊穣の来世」
前1350年頃／イギリス、大英博物館蔵

2　アンティオキア（現トルコ）のモザイク画「パリスの審判」115年頃／フランス、ルーヴル美術館蔵

3　『ユートピアだより』
文・デザイン：ウィリアム・モリス／印刷：ケルムスコット・プレス／出版：ハマスミス／1892年／イギリス

4　壁紙「ぶどう」
ウィリアム・モリス作／1873-74年／イギリス、ヴィクトリア＆アルバート美術館蔵

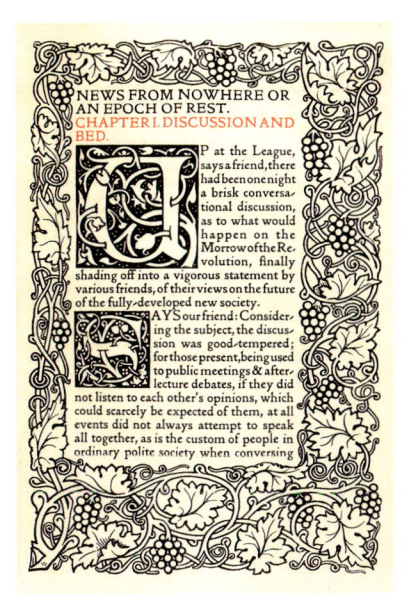

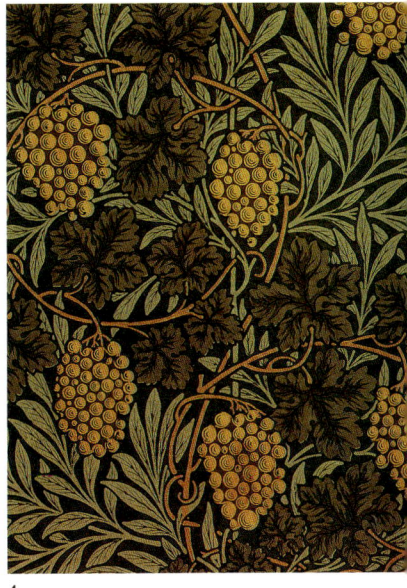

157

植物文様

いちご
愛の女神の果物

35 *Strawberry*

主に使われた様式：ゴシック、ロココ、アーツ・アンド・クラフツ運動

　いちごは青いへたのついた赤い実に小さな点を散らした形として描かれる。青い時は硬いが、熟すと果汁にあふれる。そのみずみずしさで、愛の女神の象徴といわれ、また聖母マリアを示す果物でもある。そのかわいらしく清純な姿は、文様としても古くから愛された。いちごの花柄は、若々しく、野に遊ぶ少女のようなイメージを持っている。おとぎ話などでは、いちごは妖精たちの食べ物ともいわれた。いちごの文様は、乙女たちが野に出ていちご摘みをしているようなシーンを思わせる。

フランス製染織「いちご」
1790-1800年頃／フランス、ミュルーズ染織美術館蔵

イギリス製刺繍装飾布　アーチボルド・クリスティー作／
1914年／イギリス、ヴィクトリア＆アルバート美術館蔵

テキスタイル・デザイン「いちご泥棒」　ウィリアム・モリス作／
1883年／イギリス、ヴィクトリア＆アルバート美術館蔵

植物文様

36
Apple

りんご
幸福の果実

主に使われた様式：
ゴシック、ルネサンス

　りんごは大地の実り、大地の祝福をあらわす。その意味は形に関係がある。まるい形は、完全な形、全体を意味している。ギリシア神話で、トロイアのパリスは最も美しい女神にりんごを与えた。りんごはパラダイスへのパスポートといわれる。アダムとイヴはりんごの樹に囲まれたパラダイスにいた。しかし蛇に誘惑されて、りんごを食べたので楽園を追放される。りんごをかじると完全な円が欠けてしまうのである。

　文様としてのりんごは、円形の幸せで完全な世界の飾りとしてあらわれる。りんごの樹と実は幸せで安全な楽園として、私たちを囲む。

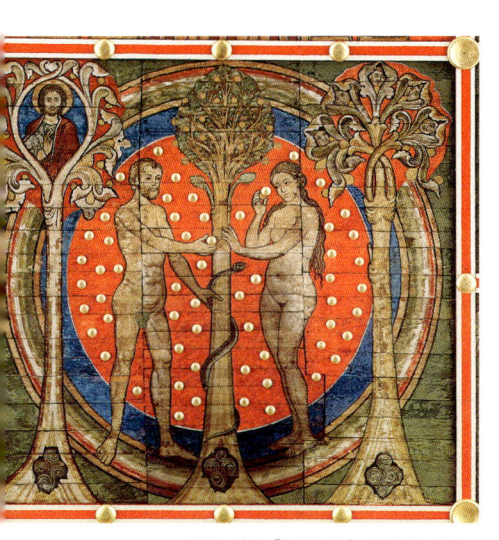

装飾パネル「楽園追放」　13世紀／ドイツ

「ろうそくの聖母（玉座の聖母子）」　カルロ・クリヴェッリ画／1490年頃／イタリア、ブレラ美術館蔵

植物文様

生命の木
文様の宇宙

主に使われた様式：メソポタミア、ビザンチン、ゴシック、19世紀、アール・ヌーヴォー

1本の木が立ち、そこから枝がのびてまわりをおおっている。木が成長し、のびひろがってゆく。生成する世界が木によって象徴されている。生命の木は古代オリエントのアッシリアに発生したモチーフといわれる。中央の木によって空間を右と左の2つに分割し、上方は木の枝や葉が茂ってつながっている。木の左右にシンメトリックに2匹の動物がいる構図も多い。

キリスト教の時代になると、中央の木は十字架を重ねられる。十字のまわりには動物、植物、人間などが配置され、全体として1つの世界図が示されている。

中央で左右に分割し、シンメトリックにモチーフを配置する文様構成には生命の木の構図は便利であった。

17世紀には、〈生命の木〉パターンは英国で流行する。木のまわりにさまざまなものをぶら下げる。クリスマス・ツリーというのは生命の木の飾りなのである。17世紀前半は、英国でジャコビアン様式といわれるオランダなどを通して入ってくるオリエント風のモチーフがはやった時期で、〈生命の木〉もオリエント趣味と見られる。

19世紀には自然への関心が高まり、植物の世界が注目され、〈生命の木〉もあらためてとりあげられる。ウィリアム・モリスからアール・ヌーヴォーにいたるデザインは、木の枝やつるがのびひろがってゆく空間に魅せられ、〈生命の木〉のパターンを試みるのである。

壁面装飾「生命の木」　グスタフ・クリムト画／1905-09年／オーストリア、オーストリア応用美術館蔵
左は愛を期待する女性を描いた〈期待〉、右は抱き合う男女の〈成就〉。

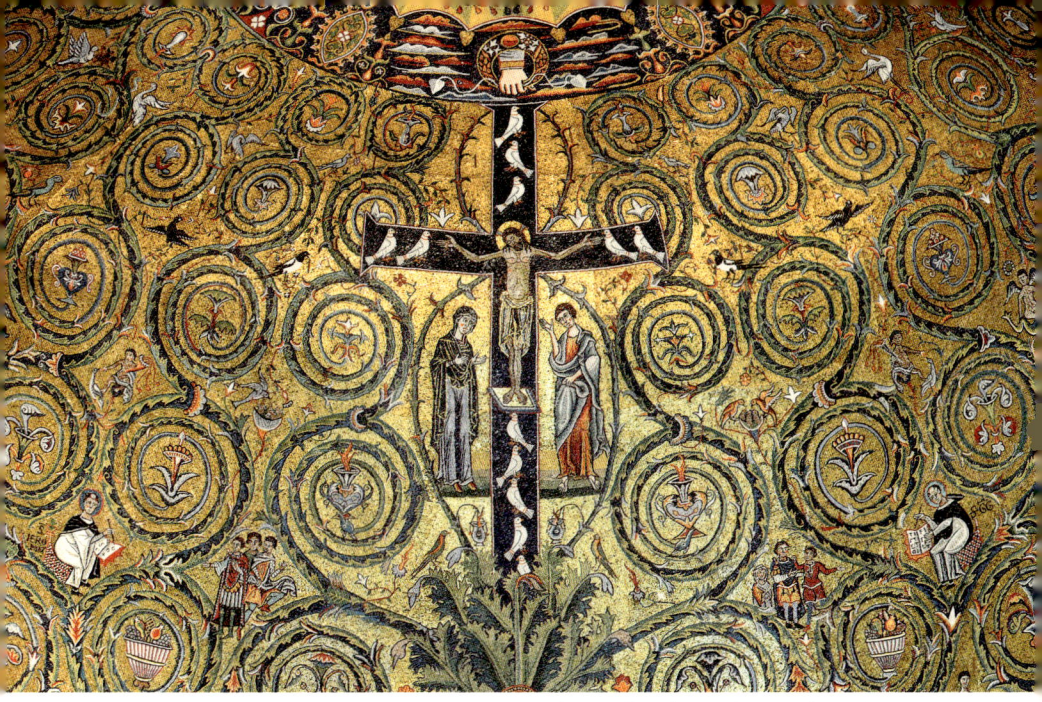

サン・クレメンテ教会のモザイク壁画「磔刑（たっけい）のキリスト」 1110年頃／イタリア

「フランシスコの生命の木」 1700年頃／ボリビア、サンタ・クララ修道院蔵

「生命の木」 パチーノ・ディ・ブオナグイダ画／14世紀初頭／イタリア、アカデミア美術館蔵

161

動物文様

双獣文
同一と正反対

38 *Pair of Animals*

主に使われた様式：メソポタミア、ローマ、ゴシック

　同じ動物が背中合わせか向き合いに配置された、左右シンメトリーの文様。中心に鏡を置いたように見える。同じ形を並べるのではなく、反転して置くことで、新しい構成の文様がつくり出される。これは基本的な文様構成法の1つであるが、古代オリエントで発達した。特に中心線に生命の木（P160-161）を立て、両側に双獣を配置するパターンがよく見られる。ギリシア神話のカストール（カスター）とポリュデウケース（ポルックス）の双生児のように、2つの同じものは、神秘的な世界の原理、二極性、二元性を意味した。2つのものは同一の形ではあるが、反転され、正反対なものになっている。双獣文は空間のミステリーを語っている。

シチリア王国初代国王
ルッジェーロ2世のマント
1133-34年／
オーストリア、
ウィーン美術史美術館蔵

イタリア製絹織物　13世紀末-14世紀初頭／
イギリス、ヴィクトリア＆アルバート美術館蔵

アルメニアの装飾写本　1637-38年／アメリカ、J・ポール・ゲティ美術館蔵

動物文様

ライオン
さまざまなポーズ

主に使われた様式：ギリシア、ローマ以降の様式

わしとライオンは男性が最も好む動物文様だろう。なにしろライオンは百獣の王であるから、いさましく力強く、勇士や権力者にふさわしい。古代の王たちも、中世の貴族たちもライオンの紋章を使いたがった。しかし、あまりにライオンだらけではまぎらわしく、似たようなものとなる。そこでライオンを区別するために、さまざまなポーズの文様化が行われた。一番オーソドックスなのは、歩行する姿を横から見た形である。また、前脚だけを立てたり、うずくまったりする形がある。そしてテキスタイルや紋章などでは後脚で立ち上がっているダイナミックな形がよく使われている。

ミシェル・ド・モンテーニュの紋章　16世紀／フランス

旧サルヴィアーティ邸（トスカーナ銀行）のフレスコ画　「オデュッセウスとキルケー」　アレッサンドロ・アローリ画／1560年／イタリア

バビロニア王国イシュタル門の壁画　前580年頃／ドイツ、ベルガモン博物館蔵

163

動物文様

羊

どこまでもつづく行列

主に使われた様式：ギリシア、ローマ、ビザンチン

羊はおとなしく従順な動物とされている。その特徴は数が多いことで、アルプスの山などで、無数の羊の群れが、1匹の犬、1人の羊飼いに誘導されている光景が浮かんでくる。夜眠れない時に、羊が1匹、2匹などとつぶやいているうちに眠くなるといったやり方がある。キリスト教では羊飼いがキリスト、羊が信者をあらわす。

古代では、羊は神への犠牲として捧げられた。羊は愛と慈愛の心にあふれているとされる。なぜなら強者にはその肉を、弱者にはその乳を、凍える者にはその毛皮を与えるからであるという。

ギリシア神話では、イアーソーン（ジェイソン）という英雄が、アルゴー号に乗って、小アジアに黄金の羊の毛皮をさがしに行ったといわれる。その羊は天に昇り、おひつじ座という星座になっている。

文様としては、羊はまず多数であることから、群れや行列として平面を埋め、まわりを縁取る役目をする。

キリスト教ではラム（子羊）は一般の羊とは区別し、特別で、神秘的なものとする。羊は群れとして描かれるが、ラムは1匹だけで、中心に描かれる。ラムは新生、復活、春を象徴する。イタリアのラヴェンナのサン・ヴィターレ聖堂のモザイク画は〈神の子羊（ラム）〉が中央に描かれている。神の子羊は神の子、イエス・キリスト、イスラエルびとを示している。シープ（羊）とラム（子羊）の微妙なちがいを装飾文様の中に読み取ることができる。

古代ローマの墓石　1世紀前半／アメリカ、メトロポリタン美術館蔵

古代ギリシアの羊型の化粧壺
前7世紀／アメリカ、メトロポリタン美術館蔵

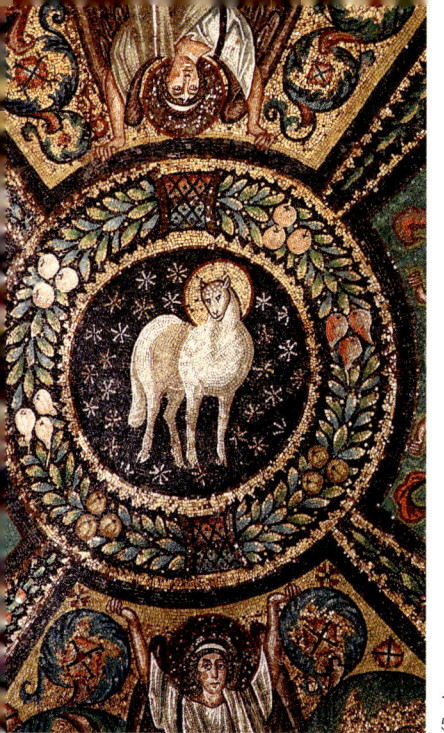

ガッラ・プラキディア廟堂のモザイク画　5世紀／イタリア

サン・ヴィターレ聖堂の天井モザイク画
5-6世紀／イタリア

サンタポリナーレ・イン・クラッセ聖堂のモザイク画　6世紀／イタリア

動物文様

うさぎ
臆病な快速ランナー

主に使われた様式：ゴシック、アール・デコ

　うさぎといってもややこしいのは、英語ではヘアとラビットの2種あることだ。ヘアは野うさぎ、ラビットは飼いうさぎと訳されるが、日本ではラビットだけなので、私たちには区別がつかない。ヘアは大型で平地にすむが、ラビットは地下にすむので穴うさぎともいう。絵や文章では区別がつきにくい。昔はヘアがほとんどだったが、今は野生のうさぎは少なくなり、飼育された小型のラビットになった。子どもの絵本に出てくるのは、ラビットが中心である。また、バニーというのは幼児語で、うさぎちゃんといったニュアンスだ。長い耳が特徴で、キリスト教の復活祭にも登場する。

マヨルカ陶器　色絵うさぎ文様皿
1425-50年頃／イギリス、
ヴィクトリア＆アルバート美術館蔵

タペストリー「愛の贈り物」
1400-10年頃／フランス、
ルーヴル美術館蔵
ゴシック期に貴族の間で愛読された『薔薇物語』に代表される宮廷的恋愛にヒントを得てつくられたもの。

動物文様

鹿
軽やかな跳躍

主に使われた様式：ゴシック、アール・デコ

　鹿はその角と、すばやい動き、そして体の白い斑点によって知られている。その角は切ってもまたのびてくるので、再生や不死を意味し、角の粉末は強壮薬となるという。

　ギリシア神話では、月の女神アルテミス（ディアナ、ダイアナ）の狩りのお伴とされている。スマートで神経質で、危険を感じると飛ぶようにすばやく逃げてしまう。角があることでユニコーンと似ているともいえる。

　鹿は、蛇を食べるといわれる。蛇を食べてから泉に行って水を飲むと、蛇の毒が消えてしまうのだという。また、鹿の角は太陽の光線を象徴しているといわれる。水に縁がある神秘的な動物なのだ。太陽の光のように角を広げながら高く跳ぶ鹿の姿は装飾のイメージとして愛されてきた。

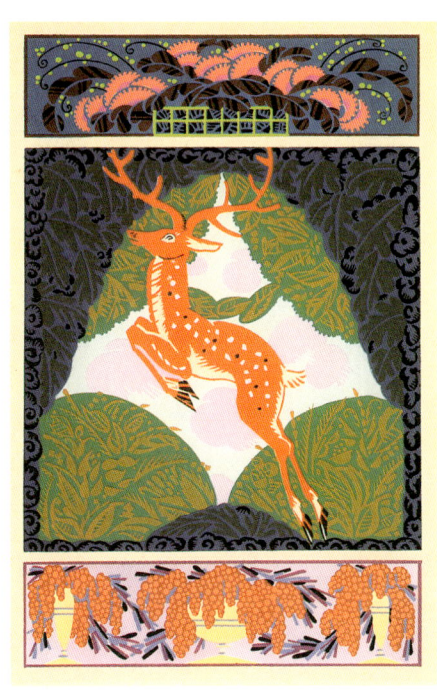

テキスタイル・プレート集『形と色』
オーギュスト＝アンリ・トーマ画／1920年頃／フランス刊

オランダのジョン・デンハム男爵の紋章入りタペストリー
1488-1501年／アメリカ、メトロポリタン美術館蔵

「フォンテーヌブローのニンフ」　ベンヴェヌート・チェリーニ作／
1542-43年／フランス、ルーヴル美術館蔵

167

動物文様

43 馬
優美な疾走者

Horse

主に使われた様式：ギリシア、ケルト以降の様式

　走る姿が最も美しい動物ではないだろうか。馬は馬車を引くか、人を乗せるかという2つの仕事をする。蹄鉄を打ち、馬具をつけて、乗馬のための準備が完成する。したがって馬車と乗馬という2つのシーンで馬は描かれる。そして、馬具（くつわ、鞍、あぶみなど）は装飾の場としてすばらしい発達をした。馬のイメージそのものだけでなく、馬のための飾りが装飾細工として華やかな展開を見せたのである。北方騎馬民族の文化から中世の騎士道文化にいたるまで、馬のための飾りは独自な流れをつくり、馬と人が一体化したスマートな姿をさらに輝かせたのである。

装飾写本の挿絵「ジョシュアの戦闘」
1250年頃／フランス

ケルトの金貨（裏面）
フランス、フランス国立図書館蔵

古代ギリシアの陶器　エクセキアス作（推定）／
前540年頃／アメリカ、メトロポリタン美術館蔵

タペストリー「聖エリギウスの奇跡」　16世紀／フランス、オセル・デュー博物館蔵

動物文様

犬
いつも人のそばに

44 Dog

主に使われた様式：ギリシア以降の様式

　最も古い、人間に飼いならされた動物といわれている。番犬からペットにいたるさまざまな役割を果たし、人間に従っている。霊的な動物で、見えない幽霊を見ることができ、人間に危険を知らせる。

　ヨーロッパでは最も犬に関心が強いのは英国で、さまざまな品種の犬が飼われ、狐狩り用の猟犬などが訓練されている。

　ギリシア神話では、地獄の番犬ケルベロス（サーベラス）が知られ、死者の魂を死の世界に運び、そこから出ないように見張っている。人間の身近にいて、親しまれている犬は、古くから装飾に使われてきた。アール・デコはグレイハウンドなど、ほっそりした快速の犬の形を好んだ。

（左）古代ローマのモザイク画「犬の洞窟〈犬に注意〉」
79年頃／イタリア、国立考古学博物館蔵

（右）「女性と犬が抱く紋章」
ジャン・フーケ画／
1455年／アメリカ、
J・ポール・ゲティ美術館蔵

フランドル製デヴォンシャー狩猟図タペストリー「猪・熊狩り」　1425-30年頃／イギリス、ヴィクトリア＆アルバート美術館蔵

動物文様

牛
性によって変わるイメージ

45
Bull & Cow

主に使われた様式：エジプト、メソポタミア、ギリシア、ローマ、ケルト、ビザンチン

　英語では雄はブル、雌はカウであり、かなりちがったイメージを持っている。ブルは大きく狂暴であり、カウはおとなしい。乳牛はもちろんカウである。ちなみに去勢された牛はオックスという。まことにややこしい。古代エジプトの女神イシスは、牝牛の神であったという。ギリシア神話では、ヘーラー（ユーノー、ジュノー）の侍女イーオー（アイオー）を愛人としたゼウス（ユピテル、ジュピター）は、ヘーラーの嫉妬を避けるため、イーオーを白い牝牛に変えた、という。装飾の中にはさまざまな牛があらわれるが、これはカウなのか、ブルなのかを想像してみるのも文様を読む楽しみの1つなのである。クレタの迷宮の怪物ミーノータウロス（ミノター）はもちろんブルである。

中世ドイツまたは北イタリアの象牙製装丁板
9世紀頃／アメリカ、メトロポリタン美術館蔵

ファルネジーナ邸の天井画「星座」　バルダッサーレ・ペルッツィ画／1511年／イタリア

動物文様

山羊
豊かな実りへの供物

46 Goal

主に使われた様式：ギリシア、ケルト、ビザンチン

雄と雌ではかなりちがった意味を持っている。雌は乳を与え、育てる役割を果たす。ギリシア神話では、雌山羊が赤ん坊のゼウス(ユピテル、ジュピター)に乳を与えた。聖書でも、キリストの誕生を見守る動物の中に雌山羊がいる。

一方、雄山羊はちょっと否定的で、こっけいなイメージを持っている。パーン(P206)やサテュロス(サテュルス、サター)が雄山羊の下半身をしているのも、好色性をあらわしている。しばしば雄山羊は悪魔とされ、異端とされた。テンプル騎士団は雄山羊を崇拝したと責められた。なぜ雄と雌ではこのようにちがっているのだろうか。

古代ギリシアの野生山羊が描かれた壺
前625-前600年／アメリカ、ウォルターズ美術館蔵

装飾写本の挿絵「キリストと修道士と2人の羊飼い」
1270年頃／アメリカ、J・ポール・ゲティ美術館蔵

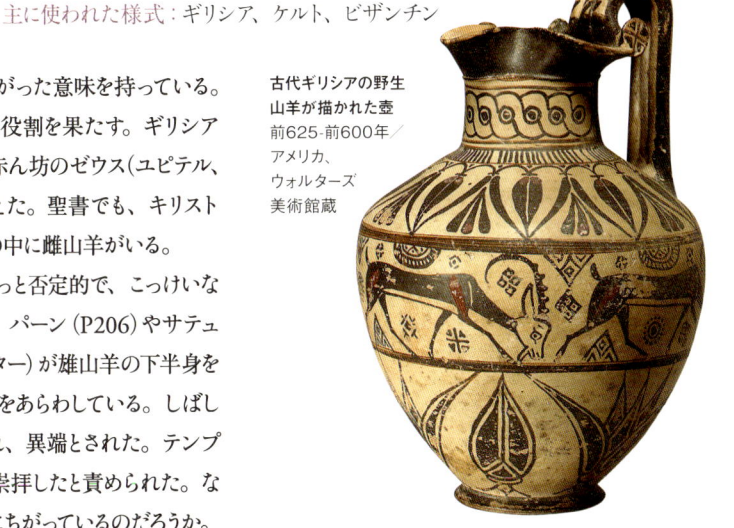

装飾写本の挿絵「魔女の安息日」　ヨハネス・ティンクトリス画／1460-67年／ベルギー、ベルギー王立図書館蔵

171

動物文様
猿
道化役者

主に使われた様式：エジプト、ロココ

　人間に近い（人間が猿に近いのかもしれないが）動物として、猿は古くから描かれてきた。猿は牛馬のような労働力にはならないし、食肉にもならないが、人間を楽しませるペットとして飼われたりする。絵や文様としては、人間に仮装したり、真似たりするこっけいなポーズであらわれることが多い。猿が装飾で活躍するのは18世紀のロココ様式で、シノワズリ（中国趣味）の文様としてたくさんの猿がちりばめられる。最も芝居的なポーズをとれる動物として、そのイメージが愛好されている。またアクロバティックな身軽さも、アラベスクの中で踊らせるに都合がよい。

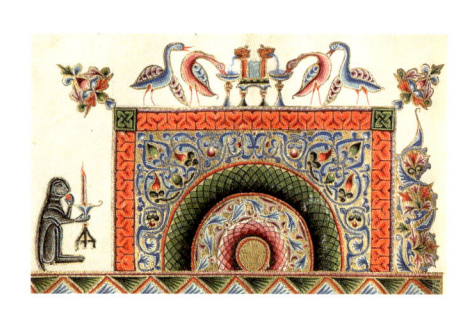

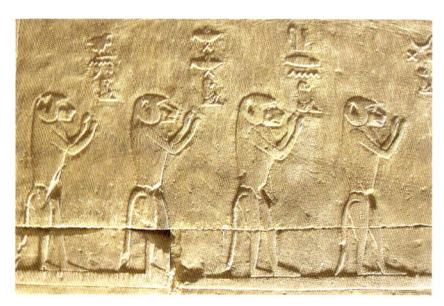

フランス製のいたずらな猿が描かれた銀の大盃
1425-50年頃／アメリカ、メトロポリタン美術館蔵

（上）アルメニアの装飾写本
1637-38年／アメリカ、
J・ポール・ゲティ美術館蔵

（下）古代エジプトの猿の壁画
エジプト

動物文様

象
大いなる威厳

主に使われた様式：ゴシック、バロック、ロココ

その巨大な姿、ゆったりした動作は、揺るがない永遠の時を示している。世界、宇宙を支えるものと見られる。象の背にのって時を刻む時計などはそのイメージにぴったりである。象は、インドやアフリカなどの熱帯の森で野生の生活を過ごしているが、一部は家畜化され、人間を乗せたり、重いものを運んだりする。その姿は見るだけで驚異と畏敬の念を呼びさます。ヨーロッパにとってはエキゾティックな、おどろくべきイメージとして伝えられ、大きさ、長い鼻などの形が強い印象を与えた。中世のタペストリーでは、象は女性の純粋さ、貞節さのシンボルとして描かれている。

千花文様のタペストリー　15世紀／フランス

フランス製置き時計
1742-43年頃／イギリス、
ヴィクトリア＆アルバート美術館蔵

動物文様

49 虎
東の猛獣

主に使われた様式：ギリシア、ローマ、ペルシア・イスラム

ライオンはアフリカのイメージが強いが、虎は東方的である。アレクサンドロス大王はインドではじめて虎を見たといわれる。古代オリエントではライオンの図像が多いので、ギリシア・ローマはその影響を受けた。虎のイメージはアジア、特に中国で発達したようである。ギリシアの神でも酒神のディオニューソス（バックス、バッカス）は虎に引かせた車に乗っているとされ、この神が東方からやってきたことをうかがわせる。ライオンはたてがみ、虎は縞模様の毛皮を特徴として描かれる。ともに荒々しい、恐ろしい自然の力をあらわすものとして登場し、装飾空間にダイナミックな動きをもたらす。

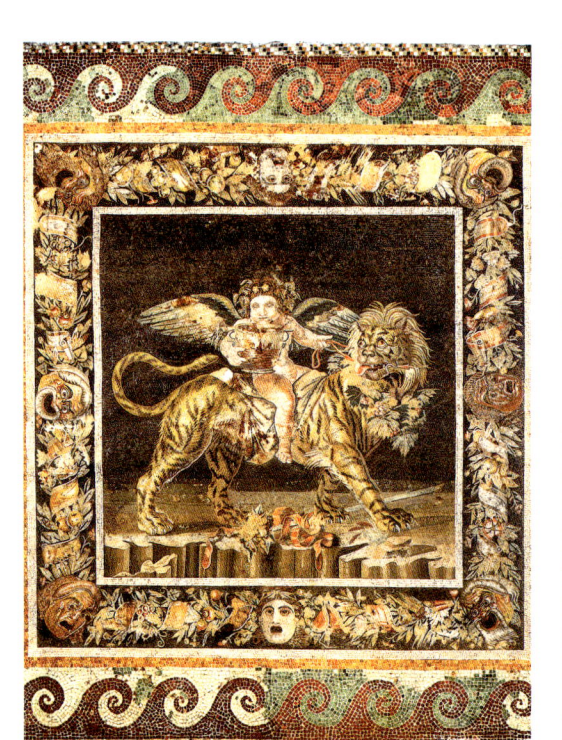

モザイク画「虎の背に乗るディオニューソス」　ポンペイ邸宅ファウヌス家より出土／前2世紀以降／イタリア、国立考古学博物館蔵

モザイク画「白い牛を襲う虎」　ユリウス・バッススのバシリカより出土／331年頃／イタリア、カピトリーノ美術館蔵

ペルシア製タペストリー　19世紀中頃／フランス、ミュルーズ染織美術館蔵

動物文様

猪・豚
野生と文明の間

主に使われた様式：エジプト、メソポタミア、ギリシア、ローマ

　英語では猪はボア、豚はピッグであるが、ボアは去勢されない雄豚のことでもあり、もともとは同じものと見られていたのだろう。猪では牙のある雄はわかるが、雌は、猪と豚は区別しにくい。猪は太陽をあらわすといわれ、ライオンに次ぐ聖獣とされた。また荒れ狂う自然の力を意味する。ヘーラクレース（ヘラクーレス、ハーキュリーズ）は狂暴な猪を退治した。またオデュッセウス（ユリシーズ）は猪の牙による傷を頬に受けている。北欧では猪は森の騎士と呼ばれた。

　豚は大食で好色というイメージを得た。荒々しさと誘惑への弱さ、猪と豚は人間の両面かもしれない。

古代ギリシアの釣鐘形カクテル　前380年頃／フランス、ルーヴル美術館蔵

猪形のカルニュクス（ケルトのトランペット・復元）
1-3世紀頃／スコットランド、スコットランド国立博物館蔵

床モザイク画「猪狩り」
ローマの邸宅より出土／
4世紀／スペイン、
国立ローマ博物館蔵

動物文様

蛇
魔性の誘惑

Snake 51

主に使われた様式：エジプト、アール・ヌーヴォー、アール・デコ

　人はなぜ蛇をこわがるのだろう。原始時代のおそれが残っているのだろうか。不思議なのはそんな蛇の形をアクセサリーなどに使うことだ。気味が悪くはないのだろうか。形というものが、単なる形、飾りではなく、なにか意味を持ち、象徴になることは、蛇がよく示している。

　蛇は人間にとっておそろしいものであり、時には神であり、時には悪魔、怪物であることは古くから語られてきた。蛇はしばしば龍と一緒にされた。古代エジプトでは蛇は神であった。キリスト教では蛇はイヴを誘惑して禁断の実を食べさせ、アダムとイヴを楽園から追う原因になったとされている。

　そのようなこわいものを装飾に使うのは、魔除けという意味があったようだ。

　形として蛇を見ると、長い紐状で、S字状にうねったり、トグロを巻いたりする。紐の曲線は蛇に見立てられ、蛇の文様は紐の曲線文と重ねられる。木に巻きつく蛇、〈蛇行〉などということばに、蛇文のパターンが示されている。

　蛇文はショッキングなイメージとして使われてきた。時には悪趣味とも見られる効果が狙われてきたのである。19世紀末のアール・ヌーヴォーではその悪趣味が新しさとして掲げられた。それはおとなしく家庭的とされてきた女性が社会に出て自立しようとする傾向を反映していたのかもしれない。ルネ・ラリックなどの蛇のアクセサリーを女性がつけた。蛇のウロコなどの文様がドレスに使われた。世紀末の魔性の女は蛇の首飾りや指輪をして、男たちをひやりとさせたのである。

古代エジプトの金とラピスラズリでつくられた聖蛇
ツタンカーメン王墓より出土／前1347-前1338年頃／エジプト、エジプト考古学博物館蔵

「シモネッタ・ヴェスプッチの肖像」 ピエロ・ディ・ロレンツォ画／1480年代／フランス、コンデ美術館蔵

「裸の真実」 グスタフ・クリムト画／1899年／オーストリア、オーストリア劇場博物館蔵
足元にからみつく蛇は、いずれ真実を明らかにする「時」の寓意。ファム・ファタル（男を破滅させる宿命の女）の性的な誘惑のシンボルでもある。

装飾品「大蛇」
ルネ・ラリック作／19世紀末-20世紀初頭／ポルトガル、グルベンキアン美術館蔵

動物文様
魚
数えきれない生きものたち

52
Fish

主に使われた様式：ギリシア、ローマ、ロココ、アール・デコ

　魚は水中の生きものである。海の幸、山の幸と分けるように、地上の生物と水中の生物は別な世界にいる。魚の特徴は無数にいることで、数えきれない、とりきれないほど無限とされた（現代では無限とはいえなくなってしまったが）。人々は、地上の富には限界があるが、海中の富は無限だと思った。なにしろ魚は無数の卵を産むのである。

　文様のイメージとして魚は、まず、いっぱい、たくさんという豊かさを示す。また、形としては、水中にあるため、シンメトリックな、曲線的なスタイル、スピンドル（紡錘・ぼうすい）形になり、S字にくねり、浮遊する。古代のエーゲ海の文明は魚のモチーフであふれている。

古代ローマのモザイク画　コンプルトゥム遺跡のヒッポリュトス邸より出土／1世紀（4世紀に改築）／スペイン

ガラス器「サルモニデ」
ルネ・ラリック作／
1928年

聖皿　石：前1世紀-後1世紀頃、金装飾：9世紀後半／フランス、ルーヴル美術館蔵

178

動物文様

イルカ
海の子どもたち

主に使われた様式：ギリシア、ローマ、ロココ

イルカは、古代には魚の王と見られ、エーゲ海などの海洋文化で親しまれたモチーフである。溺れた人がイルカに助けられる話が多く残っている。ソフィア・ローレンが主演した映画『島の女』は、海中から発見された古代ギリシア彫刻「イルカに乗った少年」をめぐる話であった。

形としては体をCやSの字にくねらせ、尾をぴんとはね上げたスタイルがよく使われる。名古屋城の上にある金の鯱（しゃちほこ）は、日本にもイルカ文が伝わっていることを示している。ちょっとユーモラスな顔に短い魚体がついていて、海のファンタジックな世界を描くのにイルカは欠かせない。

ロココ様式のライティング・ケース　18世紀後半／フランス

古代ギリシアのカクテル　前360-前340年／ギリシア

クノッソス宮殿の壁画　前16世紀頃／ギリシア

イルカとアヒルの床モザイク画　古代ローマ遺跡シスドラスより出土／150年頃／チュニジア、エル・ジェム博物館蔵

179

動物文様

54 たこ
Octopus
海中の渦巻

主に使われた様式：ギリシア、ローマ、アール・ヌーヴォー

　たこは魚とちがって骨がないので、ぐにゃぐにゃで、形がない。8本の長い足もぐにゃぐにゃのびて絡みつく。その足は無数の蛇のようにも見え、たこは海の怪物のように思われてきた。その一方、うねるように自在に動く足がつくる形はまるで海中で踊る道化師のような面白さを示している。

　クレタ島などエーゲ海の島々で生まれた古代文明は、海の波や魚などの姿をいきいきと伝える装飾文様をつくりだしたが、たこの文様もすばらしい発達を見せた。それははるかに19世紀末のアール・ヌーヴォーにまで伝えられている。

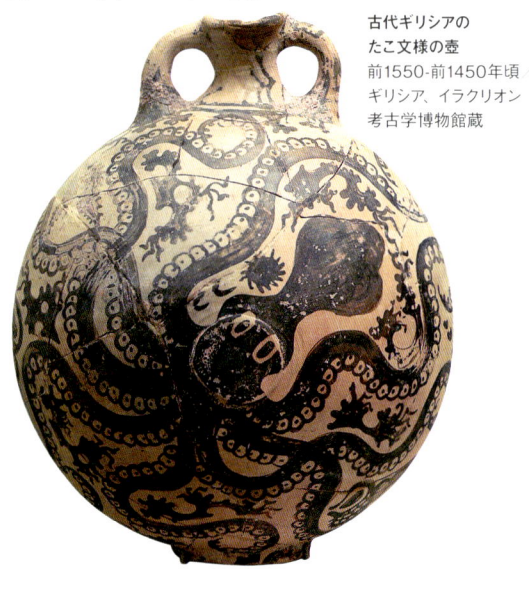

古代ギリシアの
たこ文様の壺
前1550-前1450年頃
ギリシア、イラクリオン
考古学博物館蔵

モザイク壁画「たこと海の生物」　ポンペイ邸宅ファウヌス家より出土／前2世紀以降／イタリア、国立考古学博物館蔵

動物文様

55 ほたて貝
女神の器

Scallop

主に使われた様式：ギリシア、ローマ、ゴシック、ルネサンス、ロココ

　貝はそのまま直接に使われるくらい、装飾的な形をしているが、ほたて貝（スキャロップ）は特に、半円状の筋が入った形が気に入られ、ギリシア・ローマの建築に使われた。半円と筋が、後光のように見えることから、女神などの背景に使われることもある。

　ほたて貝の半円と筋は、手の平でつくったくぼみのようでもあり、葉が指のように並んだパルメット文とも似ている。半円と中心からの放射線という原形が、手の形、パルメット、ほたて貝といった風にそれぞれの形と結びつけられ、見立てられるのだろう。

　ほたて貝は外側の凸の面、内側の凹の面の両方が使われるが、器のような凹面が好まれ、18世紀ロココで流行する。

カーサ・デ・ラス・コンチャス（貝の家）の外壁　1493年／スペイン

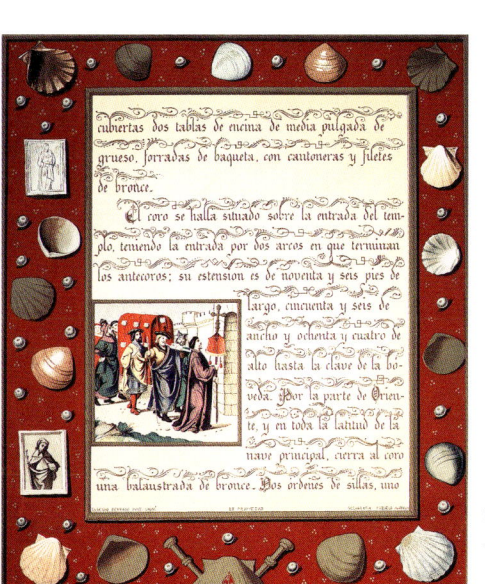

「ヴィーナスの誕生」　サンドロ・ボッティチェリ画／1485年頃／イタリア、ウフィツィ美術館蔵

中世の装飾写本　16世紀／スペイン、エル・エスコリアル修道院蔵

181

動物文様

56 鳥
Bird

空飛ぶ形

主に使われた様式：エジプト以降の様式

　日本では花鳥文といわれるように、鳥は花とともに文様を構成する。これは世界的にもいえるようで、鳥はしばしば、木と組み合わせられる。そして、木は男性を、鳥はそのまわりを飛びまわり、そこに巣をつくる女性をあらわすとされる。

　古代においては、装飾としては、わし（P184-185）が中心であった。ヨーロッパの中世になると、野の鳥、小鳥などが装飾に登場してくる。そして野の花とともに、親しげでやさしく、楽しいイメージを持つ鳥の文様がつくられるのである。野や庭にあらわれる、小鳥の軽快でアクロバティックな動きが、文様を音楽的に響かせる。

サンタンドレア礼拝堂の天井モザイク画　5世紀頃／イタリア

イギリス製内装用ファブリック　1830年代／イギリス、ヴィクトリア＆アルバート美術館蔵

イギリス製内装用ファブリック　1830年代／イギリス、ヴィクトリア＆アルバート美術館蔵

動物文様

花喰鳥
花と鳥が混じり合う

主に使われた様式：ビザンチン、ペルシア・イスラム、アーツ・アンド・クラフツ運動

　昨鳥（さくちょう）ともいい、鳥が花や葉枝をくわえている。花鳥文の1つで、花と鳥が絡み合っている。西洋の文様では、花と鳥ははっきり別になっていることが多い。鳥はわしや鷹、またはフェニックスなどが中心で、花や葉は背景であった。しかし、中世から、ごくありふれた野鳥などが描かれ、鳥と花は融合して1つのモチーフになってくる。ペルシアなどでつくられた花鳥文が絹織物やカーペットなどに使われたことに触発されて、鳥と花が楽しく遊んでいるような風景が織り出されていったのではないだろうか。ウィリアム・モリスのデザインはそのような、野の花と野の鳥の親しげなシーンを甦らせている。

内装用ファブリック「いちご泥棒」　ウィリアム・モリス作／1883年／ヴィクトリア＆アルバート美術館蔵

イタリア製絹のビロード錦織
15世紀／フランス、リヨン織物美術館蔵

ノルマン王宮パラティーナ礼拝堂のビザンチン様式のモザイク装飾
11-12世紀／イタリア

動物文様

58 わし
Eagle
太陽の鳥

主に使われた様式：エジプト、メソポタミア、ケルト、ゴシック、19世紀

わしは鳥の王といわれている。ギリシア神話ではゼウス（ユピテル、ジュピター）の鳥といわれ、ゼウスはわしに変身して空を飛ぶ。トロイアの王子で最も美しい少年といわれたガニュメーデース（ガニュメデ、ガニミード）をわしになってさらい、オリュンポスに連れてきて、酒の酌をさせたという話が伝えられている。

アッシリアやエジプトでは、わしは王の権力のしるしとして、描かれ刻まれた。わしは、獣の王であるライオンと対比された。わしは遠くまで見る鋭いまなざしから〈視覚〉を意味し、装飾的には〈目〉の形に特徴があった。その次に翼が装飾的に表現され、羽のメカニックな縞文様、微妙に変化する色などの魅力がかもし出された。翼は閉じている時は外側、開いた時は内側の文様をそれぞれ見せる。

目とともに、鋭いくちばしと爪も、わしの勇猛さ、攻撃性を表現する。

猛鳥としては、わしとともに、鷹も知られている。わしは大型で、鷹は中型である。雌と雄は、わしは同色だが、鷹はちがった色で、わしは胸が白い。わしは強大であるが、鷹は中世の騎士のようにエレガントなところがある。

神聖ローマ帝国は双頭のわしを紋章としていた。あらゆる方向を油断なく見張っていることを示していた。双頭のわしは、オーストリア・ハンガリー帝国に引き継がれる。

フランスのナポレオン皇帝もわしのマークを使った。〈帝国〉とわしの紋章は関係が深いようだ。

わしは、太陽の象徴として、地の象徴である蛇と対比されることもある。

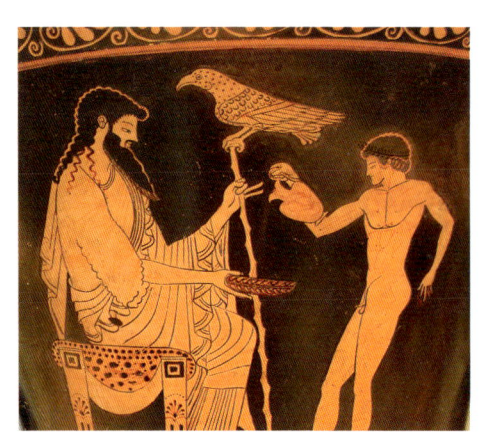

古代ギリシアのカクテル
前490-前480年頃／アメリカ、メトロポリタン美術館蔵

中世ドイツまたは北イタリアの象牙製装丁板
9世紀頃／アメリカ、メトロポリタン美術館蔵

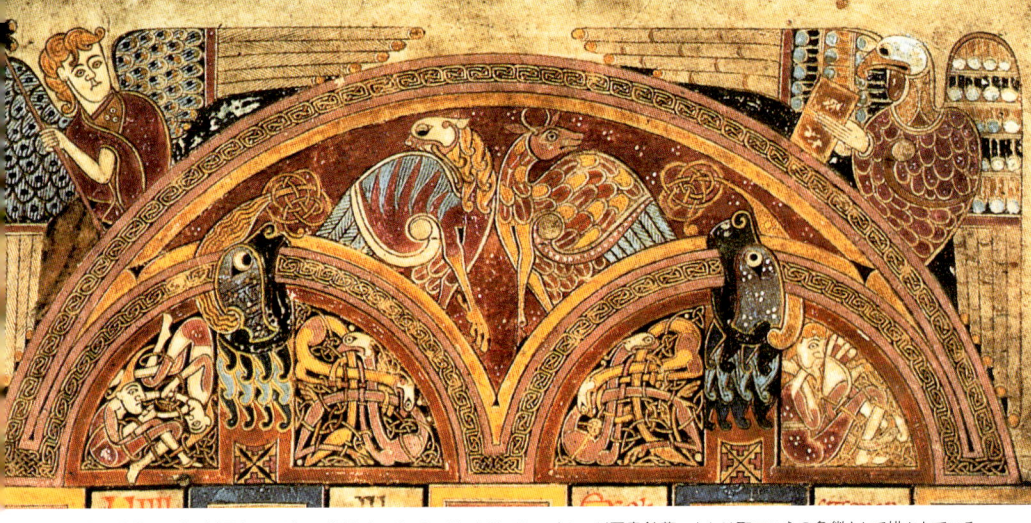

装飾写本『ケルズの書』目次ページ　8世紀／アイルランド、トリニティ・カレッジ図書館蔵　わしは聖ヨハネの象徴として描かれている。

（左）わし形斑岩壺「シュジェールのわし」
壺：前3000年-後4世紀頃、装飾部：
1147年以前／フランス、ルーヴル美術館蔵

（右）マクシミリアン1世の紋章
16世紀／スペイン

185

動物文様

59
Dove

鳩
平和のシンボル

主に使われた様式：ギリシア、ローマ、ビザンチン、ロココ、19世紀（特にヴィクトリアン）

　鳩を示す英語にはダヴとピジョンがある。ピジョンはやや大きめで、ダヴは小型である。装飾や詩に使われるのは、かわいいダヴの方らしい。平和で愛情深い鳥とされている。鳩は、いつも同じ相手と一緒にいるので、変わらぬ夫婦愛のシンボルとされる。

　そしてキリスト教では聖霊を意味する。天の神と地上のキリストをつなぐ使者であるから、キリストやマリアの頭上を飛んでいる。鳩は霊的なもの、さらに私たちの魂の運び手とされる。文様の中の鳩にもスピリチュアルな意味が含まれているだろう。それは私たちの想像力を乗せて、装飾空間を浮遊しているのだ。

1　モザイク画「水盤に集まる鳩たち」
前2世紀前半／イタリア、ナポリ国立博物館蔵

2　サンタポリナーレ・ヌオヴォ聖堂のモザイク画　5世紀後半-6世紀初頭　イタリア　鳩がとまっている天蓋自体も王冠をくわえて翼を広げた鳩の形になっている。

3　アリアーニ（アリウス派）洗礼堂の天蓋モザイク画　6世紀初頭／イタリア

(右ページ) テキスタイル・プレート集『形と色』　オーギュスト＝アンリ・トーマ画／1920年頃／フランス刊

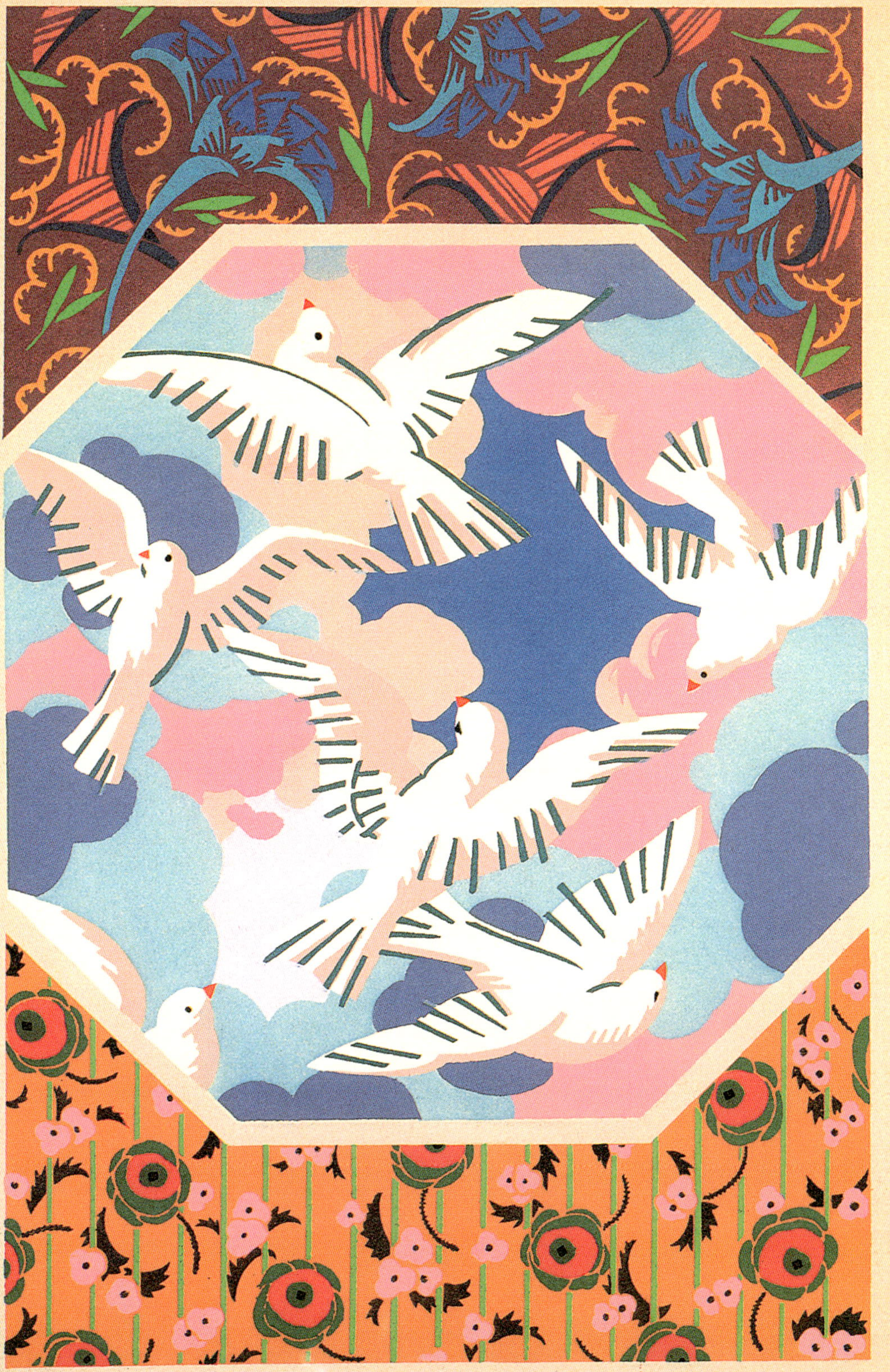

動物文様

孔雀
女王の象徴

主に使われた様式：ローマ、ビザンチン、バロック、ロココ、アール・ヌーヴォー

半円形にひろげた羽に、目のような柄を無数に散らした華麗な姿は、ローマやビザンチンでよく使われた。熱帯の原産であるから、ペルシアやインドでは特に孔雀文が多く使われ、そのエキゾティックな形が西洋に伝えられた。

ローマでは女神ユーノー（ギリシアのヘーラー）は孔雀を伴っている。ギリシア神話にはアルゴス（アルグス、アーガス）という百眼の怪物がいる。ゼウスの愛人イーオー（アイオー）はヘーラーの嫉妬を避けるためゼウス（ユピテル、ジュピター）によって牝牛に変えられ、夜も昼もアルゴスに見張られた。ゼウスの命でアルゴスが殺された時、ヘーラーはその眼を孔雀の羽根につけたといわれる。

目玉の文というのは、見つめられているようで、魔術的な強い印象を与える。孔雀の目玉文は、ビザンチンで流行した。ビザンチンでは孔雀は女王のシンボルとされた。19世紀の唯美主義の運動では孔雀のモチーフがよく使われた。ジェームズ・ホイッスラーが装飾したピーコック・ルームなどが代表例である。豪華と虚栄が織りなす世界には孔雀がぴったりであった。ホイッスラー、オスカー・ワイルド、オーブリー・ビアズリーなどの唯美主義から世紀末アール・ヌーヴォーへの流れの中で孔雀のモチーフは受け継がれていった。

孔雀の目玉文は、ウロコ文の一種と見ることができる。目を中心にした羽根がウロコ状に重なっているのである。また、孔雀が半円状に羽を開いた形は、ほたて貝の形でもある。このように共通の形がひびき合い、いくつもの名があらわれるのが文様の面白さである。

（左）サン・ヴィターレ聖堂のモザイク画
5-6世紀／イタリア

（右）『サロメ』より挿絵
「孔雀の裳裾」
オーブリー・ビアズリー画／オスカー・ワイルド著／1894年／イギリス刊

（右ページ）『高慢と偏見』金箔押しの表紙　ジェーン・オースティン著／1894年版／イギリス

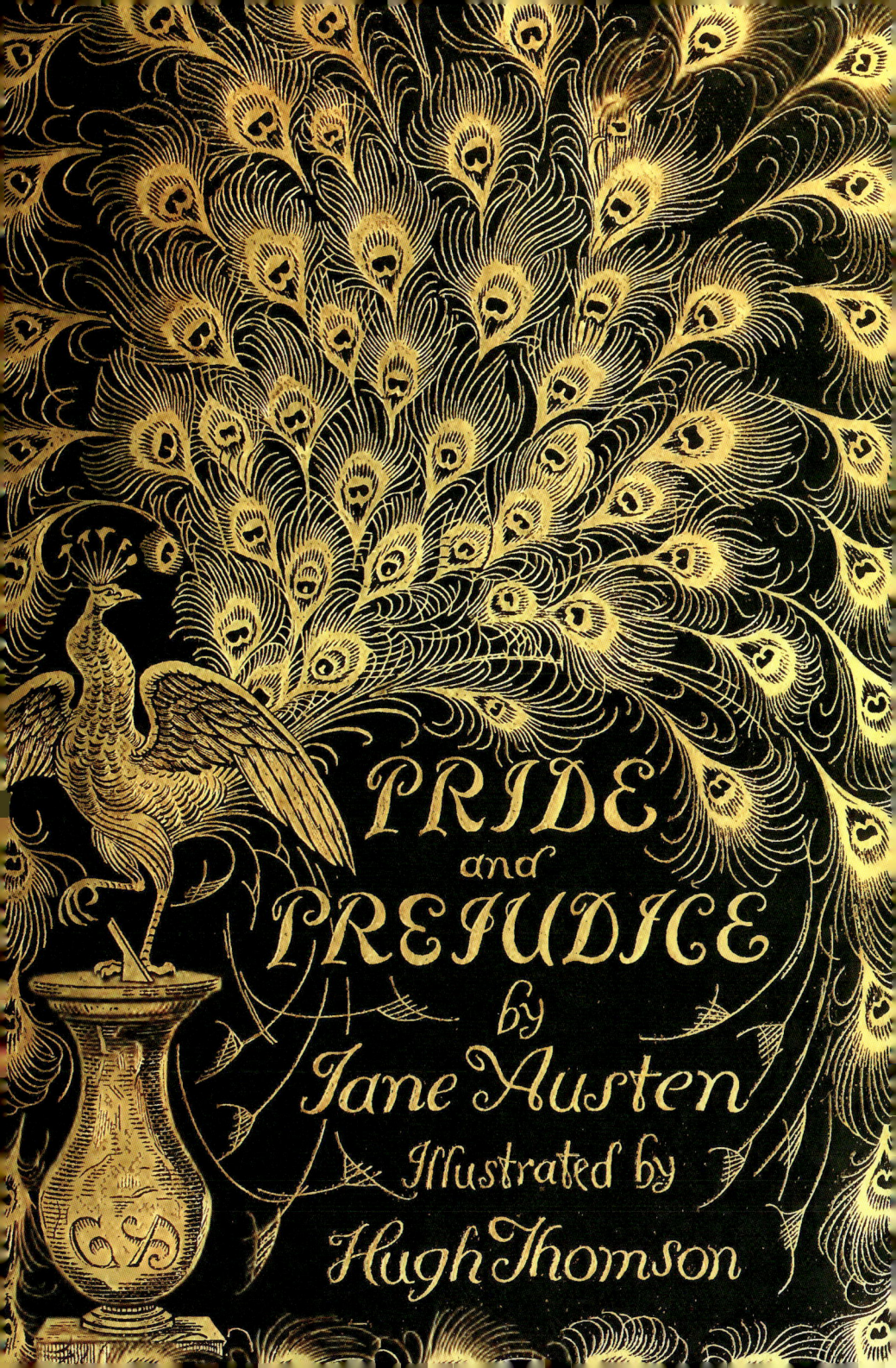

PRIDE and PREJUDICE

by

Jane Austen

Illustrated by

Hugh Thomson

動物文様

つばめ

流線型のダンディ

Swallow 61

主に使われた様式：ローマ、19世紀、アール・デコ

　つばめは幸運の予兆といわれた。また庶民の味方、貧乏人の守護神と見られた。そのため、19世紀に社会主義運動が盛んになった時、つばめは革命の象徴として掲げられた。

　図形的には、つばめは、肩からうしろに鋭く流れる翼、二股にさけてとんがった尾などで示される。その形に似た男のコートは、燕尾服（テイルコート）と名づけられた。つばめは飛んでいる姿が描かれることが多い。またのどから胸にかけての白い部分は、白いシャツを着たように見える。ストリームライン（流線型）がはやった1930年代には、つばめのモチーフがよく使われた。

フレスコ画「春」　テラ島より出土／前16世紀後半／ギリシア、国立考古学博物館蔵

壁紙「アーモンドの花とつばめ」　ウォルター・クレイン作／1878年／イギリス、ヴィクトリア＆アルバート美術館蔵

バレンタイン・カード　19世紀／フランス

動物文様

62 白鳥
Swan
羽衣天女たち

主に使われた様式：ローマ、ロココ、アーツ・アンド・クラフツ運動、アール・ヌーヴォー

　白鳥の美しさは、両性的だといわれる。S字状の長くたくましい首は男根を、翼のある雅な体は女性をあらわしているというのである。空と水の両方にすむことも2つの世界にまたがっていることを示している。

　一般的には、白鳥は美しい女とされ、白鳥乙女の伝説は世界中にある。海辺で羽衣を脱いでいて、それを隠され、人間の男と結ばれるが、やがてそれをとりもどして飛び去ってゆく天女は、白鳥と同一視されることがある。図形としても、S字の長い首と翼のある鳥の姿の2つが特徴である。19世紀末、アール・ヌーヴォーは白鳥のモチーフを愛用した。首の曲線のエロティックなうねりがこのスタイルにぴったりであった。

古代ローマの白鳥のいる燭台（壁画）
前11世紀頃／アメリカ、メトロポリタン美術館蔵

壁紙のためのデザイン画「白鳥、いぐさとアイリス」　ウォルター・クレイン作／1875年／イギリス、ヴィクトリア＆アルバート美術館蔵

フランス製椅子用の錦織　19世紀／フランス、リヨン織物美術館蔵

191

昆虫文様

63 蝶
胸のときめき
Butterfly

主に使われた様式：ゴシック、ロココ、アール・ヌーヴォー、アール・デコ

　英語で蝶をバターフライというのは、バターのように黄色い蝶が一般的だったかららしい。ひらひらと美しく飛んでゆく蝶は、魂とか夢のイメージとして考えられる。バターフライには、はっとしてこわくなったり、わくわくする、といった意味がある。蝶の文様は古代オリエントからあり、ヨーロッパにも伝えられたが、特に中国や日本で発達した。日本の蝶文は19世紀にジャポニスムの波に乗ってヨーロッパに伝えられ、アール・ヌーヴォーでよく使われた。その羽の鱗粉のあやしい光などが想像力をかきたてた。エミール・ガレのガラスの幻想的な蝶は、虹色にきらめいて、エキゾティックな雰囲気をただよわせている。

イギリス製絹織物「蝶のブロケード」　エドワード・ウィリアム・ゴッドウィン作／制作：ウォーナー・シレット＆ラム社／1874年頃／イギリス、ヴィクトリア＆アルバート美術館蔵

蝶文エマイユ彩花瓶
エミール・ガレ作／
1890-1900年／
日本、北澤美術館蔵

『蝶』
ウジェーヌ・
セギー画／
1924年／
フランス刊

昆虫文様

トンボ
ミニチュアの龍

Dragonfly — 64

主に使われた様式：アール・ヌーヴォー、アール・デコ

　トンボはドラゴンフライと英語でいうように、小さいが龍のように怪奇な姿をしている。まず目立つのは巨大な、宝石のような眼である。次に2対の透き通った羽を持っている。そして長いまっすぐの尾がある。

　トンボはのどかな秋の田園に飛ぶ風物詩として描かれる場合と、その奇怪な姿をアップして表現される場合がある。19世紀のアール・ヌーヴォーでは、蛇や昆虫などのグロテスクな姿が好まれ、アクセサリーになった。風景の中のトンボと、昆虫学の標本のようなトンボの像は対照的なイメージをつくり出している。

トンボ文花器
エミール・ガレ作／1890年代／
日本、北澤美術館蔵

「トンボの精」
ルネ・ラリック作／
1897-98年頃／ポルトガル、
カールスト・グルベンキアン美術館蔵

フランス製
紋ビロードの絹織物
1900年頃／フランス、
リヨン織物美術館蔵

193

ファンタジー文様

ドラゴン
アラベスクの怪物

65
Dragon

主に使われた様式：中国、ケルト、ビザンチン、ロマネスク、ゴシック、バロック、ロココ、アール・ヌーヴォー

　ドラゴンは蛇のようなS字状にくねる長い体をしているが、蛇とはちがって4つの足を持っている。大昔の恐竜の記憶からつくられたなどという。世界中にドラゴンの伝説が残っている。その1つのタイプでは、ドラゴンは人間に災厄をもたらす怪物であり、ペルセウス（パーシアス）や聖ジョージやジークフリートなどの英雄によって退治される。

　ドラゴンは龍と訳されるが、西洋のドラゴンと中国の龍はかなりちがっている。龍の文様は、中国において最も華麗な発達を見せ、唐草のように、1つの平面をおおいつくすような見事な装飾を完成させた。絹織物などに織り出された龍はヨーロッパに伝えられ、17世紀のバロック、ロココに〈シノワズリ（中国趣味）〉として吸収され、18世紀に開花し、中国風装飾的な龍文がドラゴン・モチーフの主流となる。その特徴は、唐草などの植物的アラベスクと龍の曲線の一体化である。ドラゴンが装飾文様として好まれるのは、中国の龍文が示しているように、CやSなどの曲線によって体全体が構成されているからである。

　西洋のドラゴンは、怪物というイメージの硬さを残しているが、中国の龍は、全身が繊細な装飾性によるなめらかな曲線で描かれ、装飾化、平面化している。ヨーロッパ中世のロマネスクでは、グロテスクでユーモラスなドラゴンが刻まれているが、やがて中国の龍のきめこまかな、唐草の曲線と融け合う表現が入ってきて、ドラゴンの装飾は洗練され、より優雅となった。

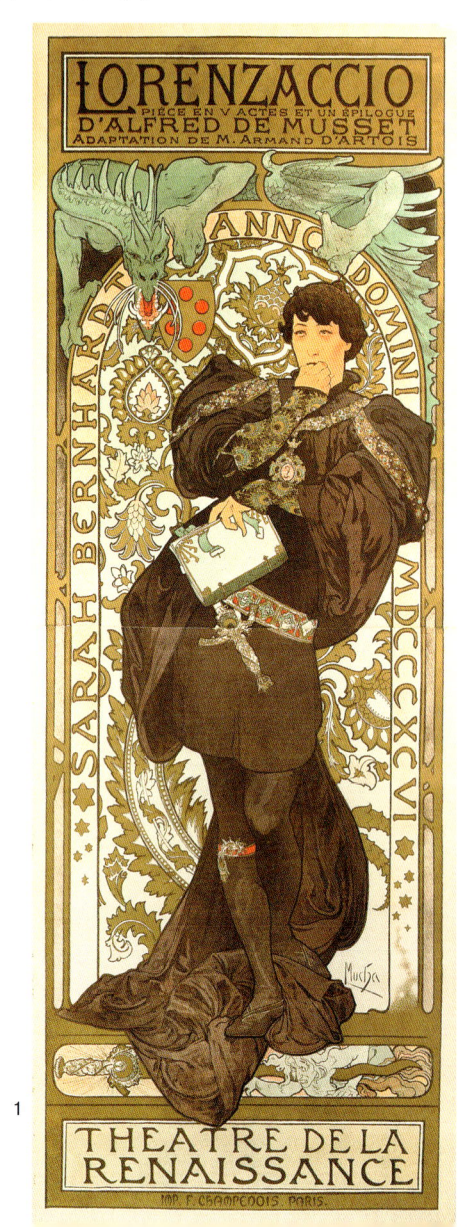

1

連作タペストリー「アンジェの黙示録」より〈カエルを吐き出すドラゴン〉　1375-80年頃／フランス、アンジェ城蔵

1　ポスター
「サラ・ベルナールの
ロレンザッチョ」
アルフォンス・ミュシャ画
／1896年／イギリス、
ヴィクトリア&アルバート
美術館蔵

2　イタリア製絹織物
13世紀末-14世紀初頭／
イギリス、ヴィクトリア&
アルバート美術館蔵

3　内装用ファブリック
「孔雀とドラゴン」
ウィリアム・モリス作／
1878年／イギリス、
ヴィクトリア&アルバート
美術館蔵

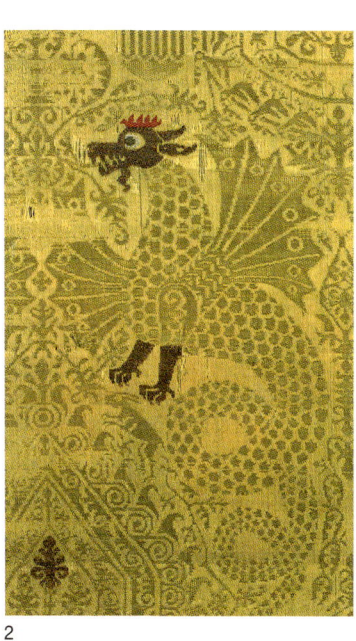

2　　　3

195

ファンタジー文様

ユニコーン
貴婦人のペット

主に使われた様式：ビザンチン、ロマネスク、ゴシック

　かわいい子馬の額に角が1本生えたユニコーンは、裸の処女にしか近づかないという、とんでもない小動物である。インドやエチオピアにいると信じられている。体はまっ白で、純粋で清らかなものの象徴とされている。ユニコーンの敵はライオンであるという。ライオンは太陽のシンボルであり、ユニコーンは月のシンボルとされている。

　キリスト教ではユニコーンはキリストのシンボルともいわれる。聖なる小動物は異教徒たちに追われ、さまざまな危険にさらされ、受難して捕らえられ、死ぬ。中世のタペストリー「貴婦人と一角獣」ではユニコーン狩りが語られている。ユニコーンは死ぬが、やがて復活する。

　一方ユニコーンには、エロティックな面もある。清らかな娘にしか近づかないが、その娘とは性的な愛を結ぶ。その角は、男性のシンボルなのである。このように、ユニコーンと処女の関係は、キリストとマリアに重ねられるが、男と女の性愛的な面も暗示されている。このような両面性は中世ヨーロッパの宮廷的恋愛と結びついた。騎士たちは王妃やシャトーの女主人に純粋な崇拝を捧げる。そのような奇妙な愛がユニコーンと貴婦人の物語に反映されていたのである。ユニコーンがあれほど中世に人気があったのも、純粋さとエロスの二重性が不思議な魅力を放っていたからではないだろうか。

　ユニコーンの角は、毒消しの霊薬であるといわれる。ライオンとペアで描かれることの多いユニコーンは、ほっそりとして優雅で、そのはかなさが、女性たちの心をくすぐるのだろうか。

金銀箔と黒箔装飾のゴブレット（脚付グラス）
17世紀／ロシア

装飾写本『ユダヤ戦記』の挿絵　ユラウィウス・ヨセフス著／15世紀

連作タペストリー「貴婦人と一角獣」より〈我が唯一の望み〉　1500年頃／フランス、国立クリュニー中世美術館蔵
宮廷的恋愛を示唆するタイトルがつけられている。

1　連作タペストリー「一角獣狩り」より〈囚われの一角獣〉
1495-1505年頃／アメリカ、メトロポリタン美術館蔵

2　イギリスの自治区の紋章

3　天井画
1502年（1617年再構築、1888年復元）／ドイツ

197

ファンタジー文様

ペガサス
飛び馬の夢

主に使われた様式:ローマ、ビザンチン、バロック、ロココ、アール・ヌーヴォー

翼のある馬。ギリシア神話によると英雄ペルセウス(パーシアス)が怪物メデューサを退治した時、その首からしたたった血からペガサスが生まれたという。この馬を得たベレロポーン(ベレロポン、ベレロフォン)は天に昇ろうとしたが、ペガサスは彼を振り落とし、天に帰っていった。翼のある馬に乗って天に行こうとする人間のはかない夢をこの馬はかきたてるが、それが不可能であることをも知らせるのである。

ペガサスは乗せた人間にさまざまな冒険を成功させるが、その望みがあまりに高くなると飛び去ってしまう。いかにペガサスといえど、人間の無限に高まる欲望には応えきれる限界がある。ペガサスの姿は夢想の果てを思わせる。

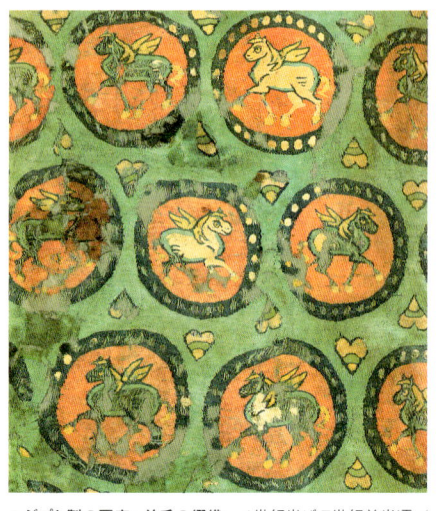

エジプト製の亜麻・羊毛の綴織　4世紀半ば-7世紀前半頃／フランス、リヨン織物美術館蔵

紋章　14世紀／イギリス

パリ市庁舎の天井画
レオン・ボナ画／1894年／フランス

ファンタジー文様

フェニックス
火から生まれた不死鳥

主に使われた様式：エジプト、ローマ、中国、ビザンチン、ロシア、アール・ヌーヴォー、アール・デコ

ヘロドトスなどによると、フェニックスはエチオピアからやってきて、火の中で燃え、その灰から再生した神秘の鳥である。キリスト教の時代には、再生したキリストの象徴とされた。古代エジプトでは、夜沈んで朝甦ってくる太陽のサイクルをあらわす鳥とされた。中国の鳳凰はフェニックスのことだという。

ビザンチン美術ではフェニックスはキリストの甦りのしるしとして描かれた。ロシアの民話では火の鳥として語られ、ストラヴィンスキーの音楽により、バレエ・リュス（ロシア・バレエ団）が上演している。幻想の鳥のモチーフは世界を飛びまわったのである。

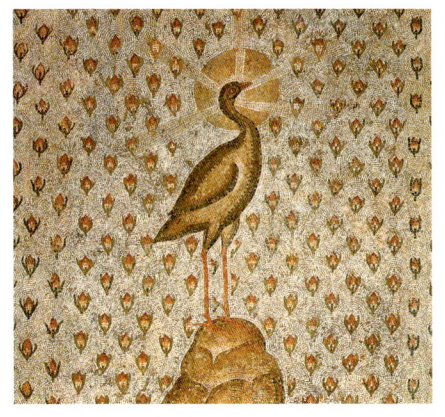

モザイク画「バラ文様にフェニックス」　トルコのダフネより出土／5世紀後半／フランス、ルーヴル美術館蔵

多翼祭壇画「マグダラのマリア」（部分）　カルロ・クリヴェッリ画／イタリア、サン・フランチェスコ教会付属美術館蔵

ロシア民話『イワン王子と火の鳥と灰色の狼』挿絵　絵本『火の鳥』より／イーゴリ・イェルショフ画／1973年版／ロシア刊

ファンタジー文様

69
Mermaid

人魚
海の乙女たち

主に使われた様式：ギリシア、ローマ

　英語ではマーメイド（海の娘）。人と魚を合成したイメージである。水の中の神々については古代から信じられていた。人魚というと、女性の姿が浮かぶのは、人魚姫などの伝説のせいだろうか。かつてはマーマン（海の男）もいたはずなのだが、アンデルセンなどの近代のメルヘンでは、人魚といえば美しい娘のイメージを持つようになった。下半身が魚という、ひらひらとうねるように曲線を描く形は、女性の上半身とのモンタージュにふさわしいのかもしれない。

イギリス製
人魚のスリップ絵皿
17世紀後半／
イギリス、ヴィクトリア
＆アルバート美術館蔵

金のモザイク画「人魚」　ウォルター・クレイン画／1881年頃／イギリス、レイトンハウス博物館蔵

ファンタジー文様

グリフォン
天と地を行く

Griffin

主に使われた様式：メソポタミア、ケルト、ビザンチン、ロマネスク、バロック

わしとライオンの合成で、起源はインドかメソポタミアのようだ。鳥の王者と獣の王者のミックスであるから、天と地の両方を支配する怪獣である。ペルシアなどでは、ライオンではなく牛に羽が生えた形が見られる。ヨーロッパに入ると、頭が鳥形になり、曲がったくちばしの〈グリフォン〉のイメージが完成する。グリフは曲がったくちばしという意味なので、鳥頭の形ができてからグリフォンと呼ばれるようになったのだろう。キリスト教では、グリフォンは天使ケルビムとされた。聖なる獣だったのである。

ベルギー製 グリフォンの水差し 1150年頃／イギリス、ヴィクトリア＆アルバート美術館蔵

メソポタミアの扉の装飾 2-3世紀／アメリカ、メトロポリタン美術館蔵

タペストリー 1450-60年頃／スイス　グリフォンやワイルド・マンとして植物を身につけた人々が春の祭典を祝っている。

ファンタジー文様

スフィンクス
謎をかける女神

主に使われた様式：エジプト、メソポタミア、ギリシア

　人、獣、鳥などの合成によるイメージはさまざまな怪獣を生み出した。スフィンクスは頭が人間、体がライオンといわれている。古代エジプトでは、人間の王と動物の王が合体した神聖王が王国を支配した。ギリシアでは、羽のあるスフィンクス（ギリシア語ではスピンクス）が登場した。さらにギリシアではスフィンクスは女性と見られた。東方から入ってきたグリフォンのイメージがスフィンクスに重なって、羽が加えられたのだろう。

　スフィンクスは十字路にいて、やってくる人間に謎を掛ける。ギリシアではスフィンクスは柱の上にいる。柱（道標）の女神なのかもしれない。

サン・ピエール教会の柱頭装飾　1150年頃／フランス

古代ギリシアの墓廟の頂部
前6世紀／アメリカ、メトロポリタン美術館蔵

イタリア製
スフィンクスの絵皿
1525-30年頃／イギリス、ヴィクトリア＆アルバート美術館蔵

ファンタジー文様

72 メデューサ
蛇の髪をした恐怖の顔

主に使われた様式：ギリシア、ルネサンス

ギリシア神話でゴルゴーン（ゴーゴン）3姉妹の1人メデューサは髪が無数の蛇になっていて、おそろしい顔をしている。その目を見た者は石になってしまう。そして黄金の翼を持っていた。ペルセウス（パーシアス）がその首を切った時、その血からペガサスが生まれた。敵を石にしてしまうおそろしい顔は、しばしば魔除けとして使われ、メデューサの顔は、建物に掲げられた。一種の鬼瓦のようなものである。また家の壁や床にもメデューサの顔がモザイクで描かれ、家の守り神とされた。装飾モチーフが、呪術的な意味を持っていることを示す例である。

1 ファルネジーナ邸の天井画「ペルセウスとメデューサ」
バルダッサーレ・ペルッツィ画／1511年／イタリア

2 古代ギリシアのゴルゴーンの軒先瓦
前6世紀末-前5世紀初頭／イタリア、ヴィッラ・ジュリア国立博物館蔵

3 イタリア製メデューサの絵皿 1510年頃／イギリス、ヴィクトリア＆アルバート美術館蔵

203

ファンタジー文様
セイレーン
海の誘惑

主に使われた様式：ギリシア、ローマ、ロココ

セイレーン（シーレーン、サイレン）は上半身は人間の美女、下半身は鳥または魚という妖怪である。美しい声で船乗りを誘い、その命を奪うという。『オデュッセイア』ではトロイア戦争から帰還する船旅の途中のオデュッセウス（ユリシーズ）の一行がセイレーンに出会っている。人魚や水の妖精などの同類である。海の中にいる幻想的な動物というのは、装飾のモチーフになりやすい。なぜなら、装飾空間というのは一種の海と見ることができるからだ。装飾の海にあらわれたり消えたりする文様を魚やニンフの饗宴と想像すれば、装飾世界がいきいきと動きはじめてはこないだろうか。

旧サルヴィアーティ邸（トスカーナ銀行）のフレスコ画「セイレーン」　アレッサンドロ・アローリ画／1560年／イタリア

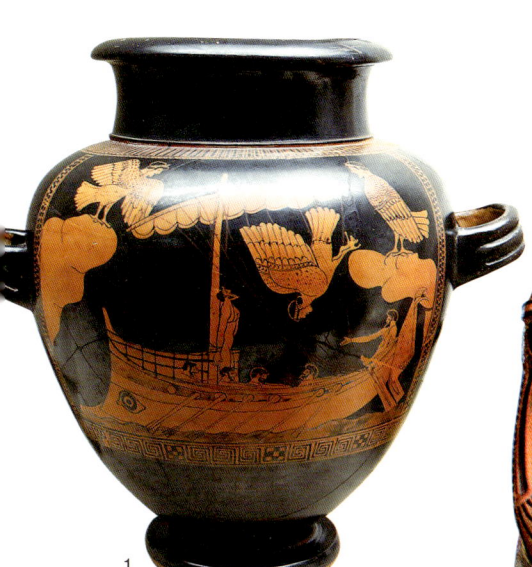

1　古代ギリシアの壺「オデュッセウスとセイレーン」
前490年頃／イギリス、大英博物館蔵

2　ラ・ソーヴ＝マジュール大修道院の柱頭装飾
11世紀初頭／フランス

3　ミントン社製花瓶「セイレーン」
マルク＝ルイ＝エマニュエル・ソロン作／1904年／イギリス

ファンタジー文様

パーン（牧神）

陽気な半獣神

主に使われた様式：ギリシア、ルネサンス、バロック、ロココ、アール・デコ

　パーンは牧人と家畜の神であるが、下半身が山羊で、ギリシアのシーレーノス（シレーヌス、サイリーナス）や、サテュロス（サテュルス、サター）、ローマのファウヌスと似ている。パーンはすべてという意味があり、おそらく山野にあふれている精霊のすべてを指すのだろう。パーンやサテュロスは、好色でニンフと戯れるとされる。ドビュッシーは「牧神（半獣神）の午後」を作曲し、バレエ化されて、バレエ・リュスのニジンスキーが踊ったことはよく知られている。パーン＝サテュロスのモチーフはエロティクなエネルギーを発散する装飾に使われ、笑いを解放し、私たちを楽しませる。

ツヴィンガー宮殿の柱装飾　18世紀前半／ドイツ

メキシコの装飾写本　18世紀／アメリカ

古代ギリシアの花瓶
前5世紀頃／ドイツ、ミュンヘン国立古代美術館蔵

THE

THE EVOLUTION OF EUROPEAN ORNAMENTS AND MOTIFS

EVOLUTION

CHAPTER

3

装飾文様の展開

装飾文様の展開
そのさまざまな舞台

　装飾文様はパターンとしてとり出されるが、そこで終わるのではなく、あらためて現実のものへ応用され、生きた形となる。単純で平面的な形は物の表面の複雑な曲面の上を流れ、なんと見事な音楽を奏でることだろうか。

　文様の形と意味を知っていると、私たちのまわりのさまざまな事物のあらわれ、風景は無限に楽しいものとなってくる。たとえば街を歩き、電車に乗ったりすることでさえ、装飾文様の森の中をさまよっていく楽しさを与えてくれるのだ。土の道からアスファルトの道路に出る。ちがったマチエール(素材)に変わる。両脇の塀はレンガやコンクリート・ブロックを積んだ格子文になっている。道路上には太い帯状の黄色い縞が描かれている。そして落葉が散り敷いて、不思議な、風がレイアウトした植物文が見えてくる。

　このように、装飾文様は固定された視線によってのみ見られるのではなく、その上を歩いていくようなダイナミックな見方によって、さらにその魅力は増すのだ。

　装飾文様は形としてとり出すことができる。たとえば、その型紙さえあれば、どこにでも運んでいくことができる。それだからこそ、それは世界中に旅をしていく。

　装飾文様が〈旅〉、〈道〉と深く結びついていることを、唐草文様や迷路

文様はよく示している。これらの文様は、文様と私たちの体の動きの密接な関係を考えさせてくれる。もしかしたら文様は、真夏の夜に踊る妖精たちのダンスの軌跡なのではないだろうか。文様を1つのダンスとして、ダイナミックにとらえたいという視点から、この本はつくられている。
　装飾文様は自然と人工をつなぐ糸として考えることもできる。柱は木のようにのび、葉を茂らせ、花を咲かせる。森とは大いなる建築であるかもしれない。ゴシックの大聖堂は大いなる森の神秘をかたどっている。
　あるいはまた、建物は、人間のイメージとひびき合う。建物は人のように立ち、精神や魂を宿す。古い家は、母のように私たちを抱くのだ。
　紋章は人をあらわすしるしである。飾りは人を見えるようにするのだ。しかし人は死すべきものだ。それだからこそ、不滅のしるしを石や鉄に刻みつけておこうとするのかもしれない、生きたことへのあかしとして。

アルファベットの入った
盾形紋章
（15-16世紀）

王の紋章の入った
メダイヨン
（16世紀前半）

　本という形態も、森、建物、人を装飾文様によってつないでいる。本は森のようであり、本は建築のようであり、本は人のようだ。おそらく本は一種の鏡なのであり、森を、建築を、人間をそこに映しているのだろう。
　人間を、あるいは世界を映すものとして、私たちは本を飾り、美しい本をつくるために、あらゆる装飾文様を注ぎ込んできた。なぜなら、本の中

に人間の理想的な楽園をのぞきたいと思うからだ。ウィリアム・モリスの印刷所ケルムスコット・プレスはその夢のあらわれであった。

『世界のかなたの森』
ウィリアム・モリス著
ケルムスコット・プレス刊
(1894)

本は書かれている内容だけのものではない。それだからこそ、私たちは本の装飾にあれほど情熱を注ぐのだ。文字は記号だけのものではない。書体があることの重要性、または内容を輝かせる光を持っているのだ。中世の写本にほどこされたおびただしい装飾もまた無意味なものではなく、ことばを反響させ、和音を添えることで、意味を重層化していくのだ。

本の装丁、表紙は、本を包み、保護するだけのものだろうか。それは本をおおい、隠すが、そのことによってミステリアスで、わくわくする内容を輝かせようとするのだ。

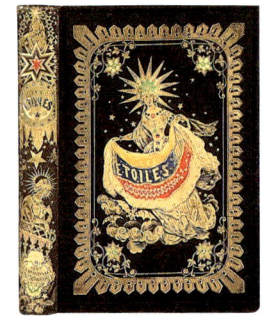

装飾写本『時禱書』
(1463以前)

『レ・ゼトワール』表紙
J・J・グランヴィル著
(1849)

装飾文様が物に応用されることで、物は見えるものとなる。装飾と物の関係が新しく結ばれる時、あらゆる手工芸が復活する。

装飾文様の応用が行われる領域の中でも、織られた布という平面において、装飾文様の美しさは最も純粋に発揮されるのではないだろうか。染織、刺繍、レース、絨毯といった布の表面で奏でられる形の音楽は、まるでシンフォニーのように響いている。

絹・金糸の染織
(18世紀)

花柄の刺繍
ウィリアム・モリス作 (1890頃)

ボビン・レースの縁飾り断片
(1708頃)

パイル織絨毯
(19世紀後半)

布の繊維の組織、構造と技術は、文様の形の変化に密接な関係を持っている。織物の組織が文様の起源ではないか、という説があったほどだ。今では織物より文様の方がさらに古いことがわかっているが、織物が発明されて以来、文様はより精巧なものとなった。

そして装飾文様の極致、その結晶化といえるのが宝飾芸術である。宝石の細工は最も古くからあるが、装飾文様の最先端でもある。

デミパリュール
デザインが共通のブローチやイヤリングなどのセット・ジュエリー (1850年代)

唐草文の旅

シルクロードのロマンス

　文様の面白さの1つは旅をすることだ。文様は運ばれ、伝えられていくのだ。文様の中でも唐草は特に、つる草をどこまでものばし、花や葉をつけていくという構造そのものが旅のイメージを持ち、夢を誘う。その旅は、ギリシアから中国、日本へと及んでいる。その道はかつて〈シルクロード（絹の道）〉と呼ばれた。

　シルクロードは、古代ローマから中国までを結ぶ、中央アジアを抜けてゆく隊商路であった。ラクダの背に積んだ絹織物や絨毯が砂漠の中を運ばれていく、といったロマンティックな幻影が浮かんできたりする。

　中国からは特産の絹が西へ送られ、西からは宝玉やガラスなどが運ばれていった。その交流の中で、物だけでなく、文様という形も伝えられていったのである。シルクロードはカラクサロードでもあった。

　東と西をつなぐ道は、中国の漢王朝の時代に開けていたといわれる。漢の武帝は外交官の張騫（ちょうけん）を中央アジアに送り、西方へ文化の道をさぐらせた。中国の西への入口は玉門関（ぎょくもんかん）と名づけられた。ここを出て、砂漠の中のオアシスをたどりながらパミール高原をへてアフガニスタンに達する。

　唐王朝（618-907）になると、シルクロードはにぎわい、さまざまなロマンス（物語）が生まれる。そして西方から送られたエキゾティックな文物は、日本にまで達し、奈良の正倉院に伝えられた。

　シルクロードは物だけではなく、形が運ばれる道であったとのべた。形は織物などをメディアとして、はるばると旅していった。正倉院などに見られるぶどう唐草には、ギリシア・ローマの唐草の幻を見ることができる。

古代ローマのアラ・パキス・アウグスタエの側面装飾
前9世紀頃／イタリア、アラ・パキス博物館蔵

ジャーメ・モスク（金曜のモスク）
771年-10世紀後半／イラン

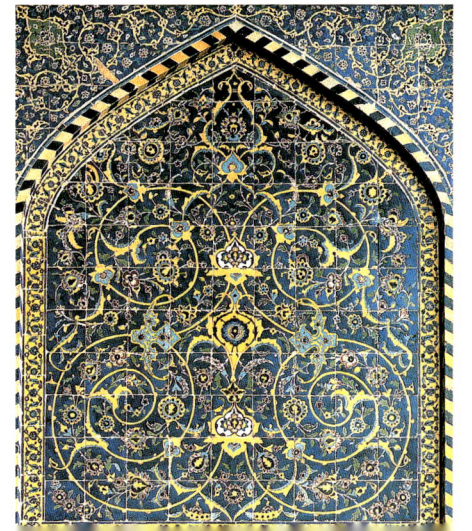

もちろん、唐草はギリシアだけが起源であったわけではないが、ギリシアにおいて完成された。オリエントや中国の唐草の原型はギリシアの唐草に出会い、その影響を受けながら、こだまのように東方にもどってきて、中国で絹織物に織り出され、あらためて西へと送られる。

　そのように、唐草文様をはじめとする形はシルクロードを何度も往復しながら、洗練され、アラベスクのような唐草の森をロードサイドに茂らせていったのである。

螺鈿紫檀琵琶
（らでんしたんのびわ）
の背面
8世紀／日本、
正倉院北倉蔵

中国製の唐草文が
描かれたフラスコ
1451-1500年／
イギリス、ヴィクトリア&
アルバート美術館蔵

紫地鳳形錦軾（むらさきじほうおうがたにしきのしょく）
8世紀／日本、正倉院北倉蔵

正倉院ぶどう唐草文（レプリカ）

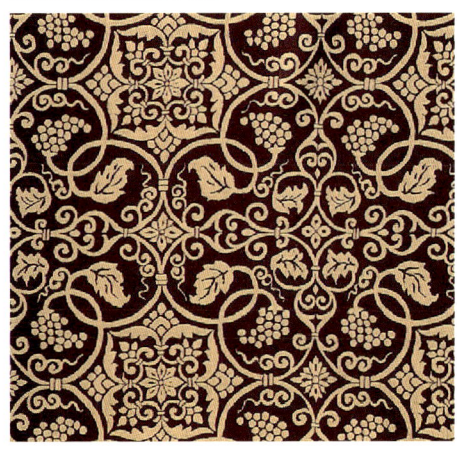

213

迷路文

文様から神話へ

迷路文は、メアンダー（雷文・P126）、グリーク・フレット（ギリシア雷文）などの1本の線が折れ曲がりながら1つの空間を埋めていく文様が発達したものと見ることができる。それを見ていると、複雑な道筋に迷ってしまい、目がまわってくる。そのような視覚的イリュージョンは、神話化され、人間の魔術的旅と結びつけられる。寺院の床に迷路文が描かれていることがある。それを通り抜けることが、神へ近づくことなのだ。

もちろん迷路をたどることはゲームであり、遊びである。迷路文は、文様を見ることはその線をたどり、それを読み解き、通り抜ける遊びなのだ、という原点を思い出させてくれる。

（左ページ）古代ローマの
迷路文の床モザイク画
「テーセウスとミーノータウロス」
4世紀／イタリア

1　古代ローマの
アラ・パキス・アウグスタエの
側面装飾
前9世紀頃／イタリア、
アラ・パキス博物館蔵

2　古代ローマの
ヘルクラネウム浴場跡
前6世紀末頃／イタリア

3　『装飾の文法』より
「ポンペイの装飾」
オーウェン・ジョーンズ著／
1856年／イギリス刊

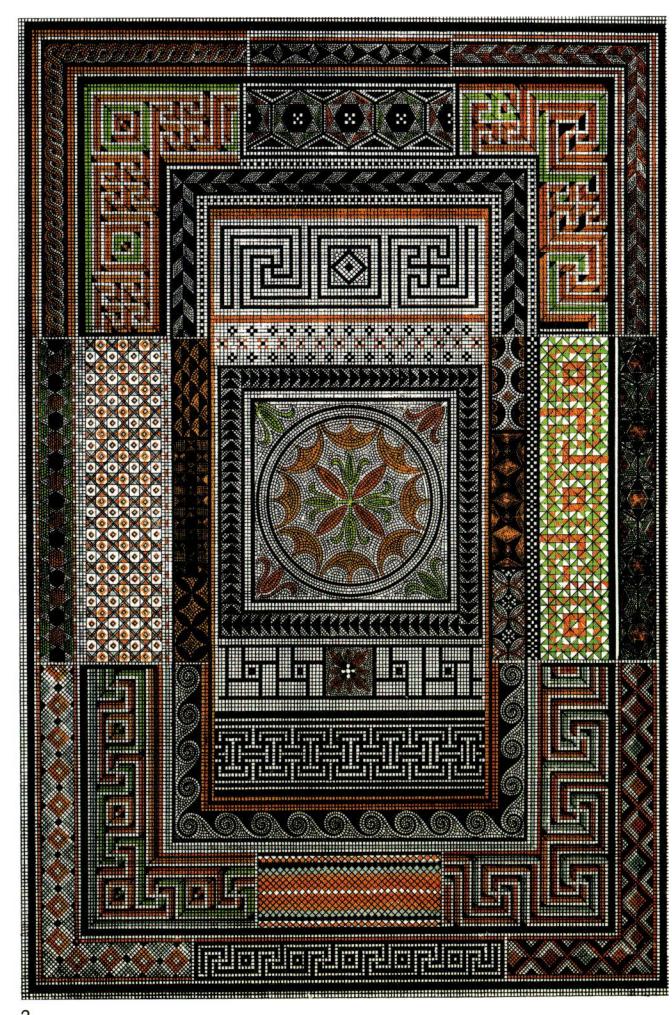

215

柱頭装飾

建築装飾の中心

　柱頭は柱の一番上の部分で、上に長押（なげし・柱の上に渡される水平材）が載る。柱頭はキャピタルといわれ、文字通り、柱の頭で、中心部分であり、ちょうど頭に飾りをつけるように、ここに装飾をほどこす。クラシックな建築では最も華やかな部分なのである。そして、この柱頭装飾はオーダーと呼ばれ、ギリシア・ローマ建築では、装飾の形、オーダーによって様式を区別する。ギリシアではドーリア式、イオニア式、コリント式の3つのオーダーがあり、素朴なドーリア式から装飾的なコリント式へと発展する。この3つの様式を基本とし、さらに種々のオーダーが工夫されてゆく。

　柱頭装飾では、アカンサスなどの植物文が立体化され、木の葉の茂みのような3次元のフォルムが使われることが多い。これは柱を生きた樹木に見立てているのだともいわれる。

　ギリシアの3つのオーダーのうち、ドーリア式は装飾が少なく、シンプルで直線的で男性的といわれる。イオニア式は、渦巻文が使われ、曲線的で女性的といわれる。コリント式は、発達した植物がぎっしりとしていて、華やかなスタイルである。

　ローマでは以上の3つにトスカナ式、合成（コンポジット）式を加えている。トスカナ式は装飾なしで、コンポジット式は、イオニアとコリントを混ぜ、渦巻と葉文がつめこまれている。

　それ以後、ギリシア・ローマの5つのオーダーを基にして、さまざまな変化が試みられ、柱頭装飾は建築装飾の主役であった。

パルテノン神殿のドーリア式柱頭装飾
前530年頃／ギリシア

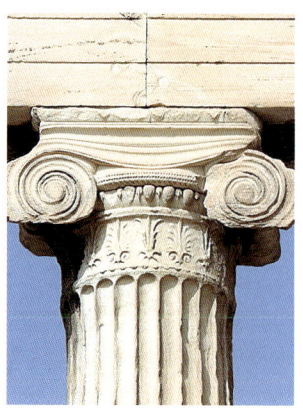

エレクテイオン神殿のイオニア式柱頭装飾
前5世紀末／ギリシア

パンテオンのコリント式柱頭装飾
前25年（後118-後128年再建）／イタリア

フィエラ神殿の柱頭装飾
前300-後30年頃／エジプト

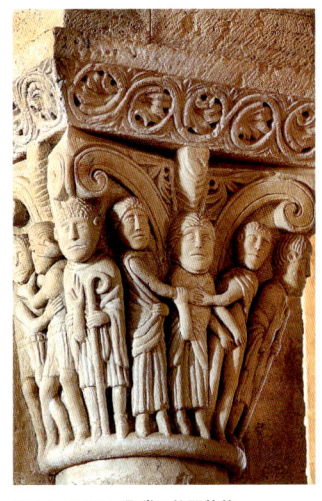

サン・マルティン聖堂の柱頭装飾
11-13世紀／スペイン

サン・マルティン聖堂の柱頭装飾
11-13世紀／スペイン

エレクテイオン神殿「少女の玄関」のカリアティド
前5世紀／ギリシア

聖ニコライ聖堂の柱頭装飾と内部装飾
1165年頃／ドイツ

ステンドグラス

4 Stained Glass

天使がきらめく窓

　ステンドグラスは、ガラスに絵を描き、その輪郭に沿って切り抜き、さらに顔とか、衣服のひだといった細部を描き込んでから炉に入れて焼き、塗料をガラスに焼きつけてから、ガラス片を元の全体図のように並べ、鉛縁でつないで、パネルをつくり、窓にはめこむ。

　絵をいったん分解してから焼きつけ、それを鉛縁でつなぎ直して絵を再構成するというやり方が完成され、ステンドグラスがはっきりとその姿をあらわすのは12世紀ヨーロッパにおいてであった。そしてヨーロッパの教会で欠かせないものとなる。12世紀から15世紀のゴシック様式の時代にステンドグラスが華やかな展開を見せる。16世紀のルネサンス時代には衰える。ステ

ノートルダム大聖堂のステンドグラス　1163年-14世紀／フランス

ンドグラスはゴシック芸術の中心だったのである。

　ステンドグラスの魅力は、放射状、S字状などの窓のフレームにはめこまれたガラスのパターンと色彩の面白さという、形態的な面と、物語絵というファンタジー・ロマンの面がある。ヨーロッパの中世には聖書の世界が、ガラスの上に映され、光の絵の物語として、見えるものとなったのだ。ステンドグラスは、ガラスのスライドを通して幻灯を見るように、物語を投映する。それは中世の映画のように人々を魅惑したのであった。

　ステンドグラスは文様の持つ形と物語を統一した装飾芸術なのである。それは単なる形であるだけでなく、光の中の聖なる物語で見る人を包むのだ。

ストラスブール大聖堂のバラ窓ステンドグラス
13世紀後半-14世紀初頭／フランス

ステンドグラス・パネル「ペネロペ」　エドワード・バーン=ジョーンズ作／1864年／イギリス、ヴィクトリア＆アルバート美術館蔵

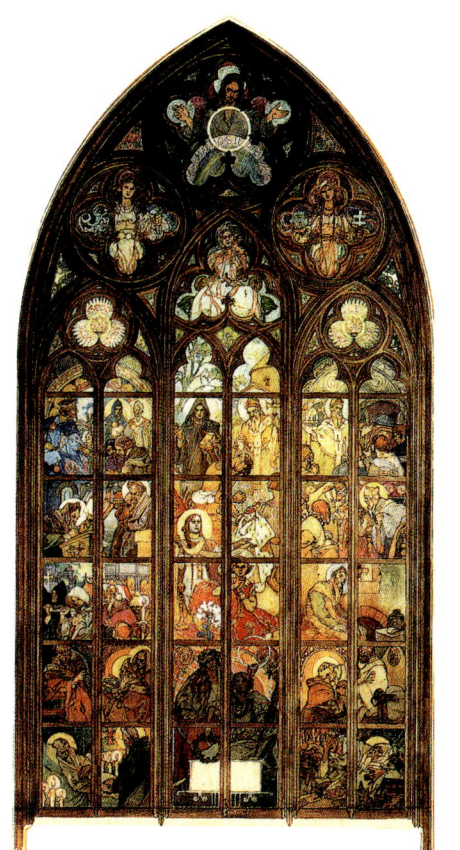

聖ヴィタ大聖堂のステンドグラスの最終デザイン
アルフォンス・ミュシャ画／1931年／チェコ

紋章学

5 Heraldry

私を示す文様

　紋章とは、私が何者であるかを示すしるしである。名前、名乗り、仁義を切る、といったことに関係がある。西洋の紋章が発達するのは12世紀からである。騎士の時代のはじまりが、紋章を必要としたらしい。戦いの時に、だれがだれだかわからないと、敵味方も区別できない。そこで盾に紋章をつけ、兜をかぶっていて顔が見えなくても、だれかわかるようにしたというのである。

　世界で紋章が発達したのは、ヨーロッパと日本だけだ、という。なぜ他では発達しなかったのかを調べるときりがないが、ヨーロッパでは、紋章は、個人に関わるのに、日本の家紋は、家単位であるというのも興味深い。ヨーロッパでは個人を示すので、紋章の種類は厖大になり、その系統はあまりに複雑である。一方、日本の家紋は、より様式化され、わかりやすいマークとなっている。ヨーロッパの紋章はカラフルだが、日本の家紋はモノクロである。

　紋章のパターンは大きく、3つに分けられる。1つは〈分割〉である。楕円や円などの紋章の空間が直線、曲線によって分割される。縞

（上）ドイツを除くヨーロッパの紋章
1909年／ドイツ、オーストリアの書誌研究所

（下）オーストリア＝ハンガリー帝国
（1867-1918年）の国章

英雄の肖像の壁画　1420年／イタリア、マンタ城蔵

や格子などにより、空間が2つ、4つ…と分割される。2つ目は〈幾何学文様〉で、四角、菱形、三角、円などが描かれる。〈分割〉では線が問題であり、〈幾何学文様〉では線ではなく、線に囲まれた形が問題なのである。3つ目は〈具象文様〉で、ライオンやわしなどの形である。

　紋章は、文様を4分した図表（P9）でいうと、幾何学文（Ⅰ）、具象文（Ⅱ）を合わせて、家や人を示す象徴（Ⅲ）となり、さらに1つの系統、システムにまとめられて、記号体系としての文様（Ⅳ）に進化したものだ。

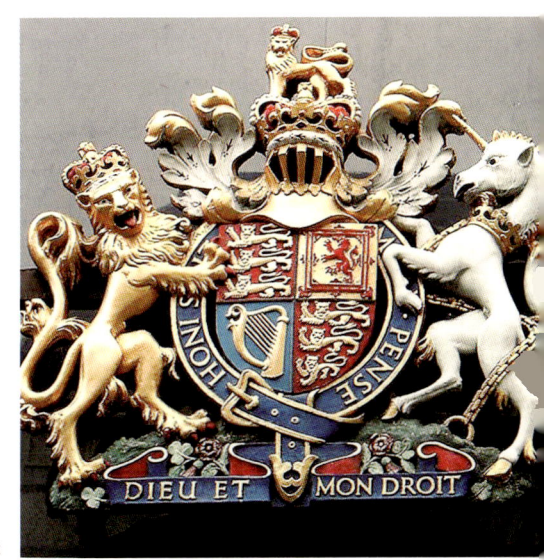

イギリスの国章

221

カリグラフィ

文字と装飾の間

　カリは美しい、グラフィは書体のことである。文様は装飾のパターンであるが、書かれたことば、文字と密接な関係があると思われる。したがって、文様の歴史と文字の歴史はつながっているのではないだろうか。カリグラフィはそのことを考えるのに興味深い領域である。文字は意味を示すとともに美しく、装飾的であらねばならないのだ。

　文字が単なる記号ではなく、視覚的な美しさを持つことは、古くから意識されていたろう。古代オリエントの、粘土版に描かれた楔形文字（P34）は、すでに〈書体〉の意識を感じさせる。

　象形文字から、アルファベットという記号化された文字が分かれた時、線そのものが意識

フェニキアのアルファベット

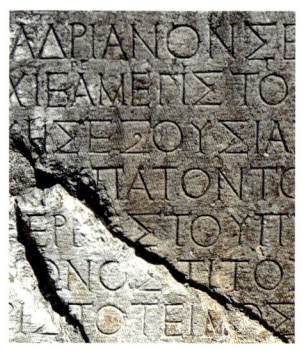

古代ギリシアのアルファベット

古代ローマのアルファベット

カロリング書体

ゴシック書体

イタリック書体

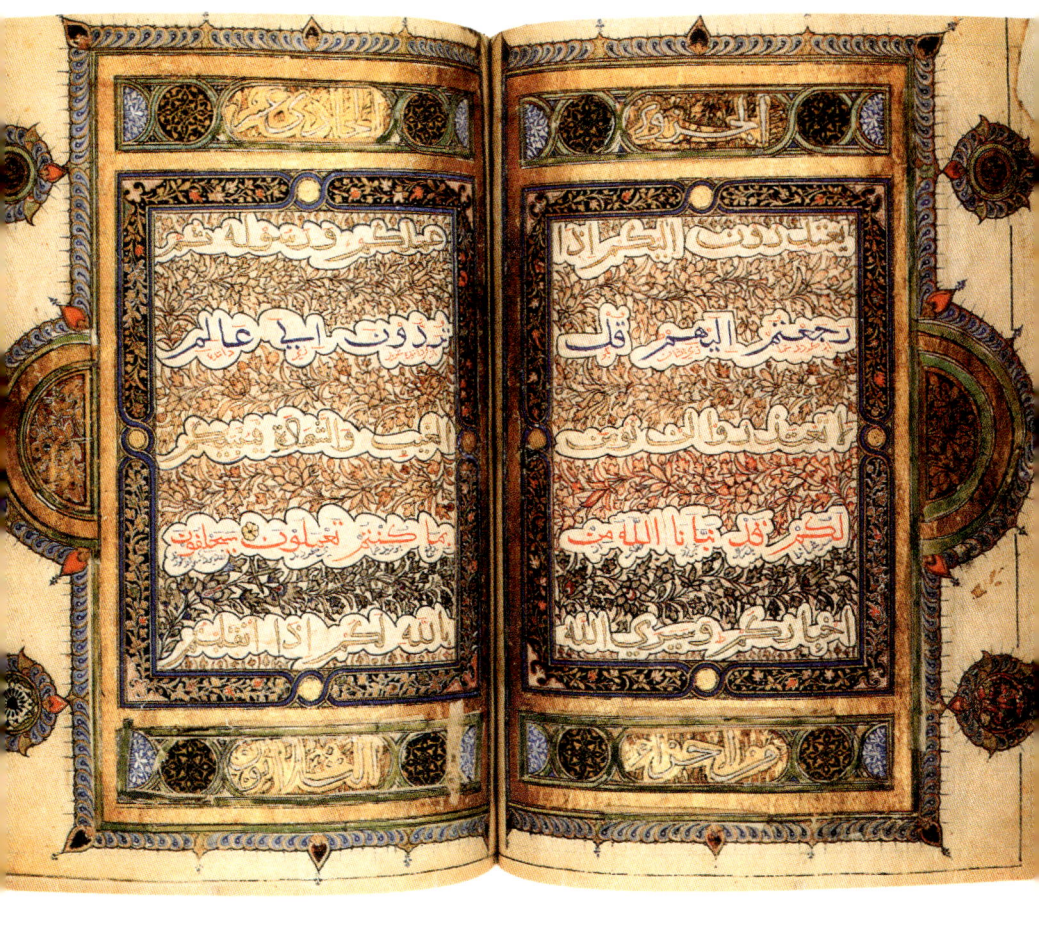

『コーラン』　1399年頃／アメリカ、ニューヨーク公立図書館蔵

され、文字は〈書体〉を持つようになる。アルファベットは紀元前1200年頃に、フェニキア人によってつくられたといわれている。紀元前8世紀にはギリシアに入り、さらにイタリア半島のエトルリアに伝わって発達し、古代ローマ帝国で完成された。ギリシアのアルファベットは24文字であった。中世になって、26文字のアルファベットがつくられた。

ローマでは、エトルリア文字を基本にしながら、草書体（筆記体）、小文字などの日常的で使いやすい文字を発達させた。今は、〈ローマ字〉といわれるように、ローマ帝国の文字は、アルファベット書体の出発点となった。

ローマ帝国の崩壊後、小国が分立し、文字もまた地方ごとに独自に発達し、分裂し、さまざまな書体があらわれた。やがてシャルルマーニュ（カール）大帝によるフランク王国があらわれ、9世紀には公式の書体がつくられた。このカロリング書体のあと、12世紀にはゴシック書体が登場する。非常に装飾的で、中世写本の黄金時代をつくり出した。

ゴシック体の成立に影響を与えたのは、イスラム文化のカリグラフィであった。まるで文字によるアラベスクのような曲線的なアラビア文字

223

『輝く平原の物語』　文・デザイン：ウィリアム・モリス／印刷：ケルムスコット・プレス／出版：ハマスミス／1894年／イギリス　モリス独自の「トロイ体」という書体を使用した。

『アエネーイス』　文：ププリウス・ウェルギリウス・マロー／エドワード・バーン＝ジョーンズ、チャールズ・フェアファクス・マリー画／デザイン：ウィリアム・モリス／1874-75年

は、ヨーロッパの公式文字の複雑で硬い線に対して、やわらかな曲線の自由な草書体を刺激した。ゴシックの草書体はバスタードと呼ばれ、自由に変形され、さまざまな書体へとひろがっていき、文字の表現をひろげた。

　15世紀に入るとルネサンスのイタリアで、ゴシック体より親しみやすく使いやすいイタリックの書体がつくられた。

　19世紀にはウィリアム・モリスなどがゴシック体のリヴァイヴァルを試み、文字のデザインへの関心を高めた。その刺激によって、文字のデザイン、タイポグラフィが注目されるとともに、あらためて手描きのカリグラフィが見直されるようになった。

『グレイズ・エレジー（トーマス・グレイの哀歌集）』
トーマス・グレイ著／オーウェン・ジョーンズ画／出版：ロングマン／1846年／イギリス

カリグラフィ「いと高きところには、神に栄光」(『新約聖書』中「ルカの福音書」第2章第14節より)　ルイーズ・パウエル作／1905年／イギリス、ヴィクトリア＆アルバート美術館蔵　モリス以降、アーツ・アンド・クラフツ運動において近代カリグラフィはますます発展を遂げた。

装飾写本

本の華やかなミクロコスモス

装飾写本(イルミネーテッド・マニュスクリプト)はミニアチュールともいわれる。これは彩色に使われた朱色の顔料ミニウムからきているという。写本の飾りの赤が目立ったことを示している。ステンドグラスと並んで、装飾写本は中世ヨーロッパの装飾美術の主役であった。

装飾写本の歴史は、古代エジプトのパピルスによる本にはじまる。それはギリシアに受け継がれたはずだが、ギリシアの本はほとんど失われてしまった。2世紀から子牛の皮に書いた本があらわれ、ローマ帝国でおびただしくつくられる。

ローマ帝国の解体後、東ローマ(ビザンチン)帝国が羊皮紙による本を発達させ、独自の装飾写本をつくり出す。5世紀にコンスタンティノポリスでつくられたという『ウィーン創世記』はその代表である。そして12世紀に、イスラムの装飾美術を吸収したビザンチン写本の黄金時代を迎える。その流れは14世紀までつづき、ヨーロッパの写本に大きな影響を与えた。

7世紀からヨーロッパでも装飾写本の制作がはじまる。北イタリア、フランスで、8世紀には見事な本があらわれるが、特に注目されるのは、アイルランドなど、キリスト教以前のケル

装飾写本『ウィーン創世記』　5-6世紀頃／オーストリア、オーストリア国立図書館蔵

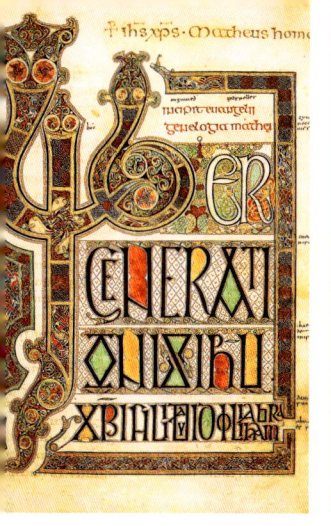

装飾写本『リンディスファーンの福音書』
7世紀末-8世紀初頭／イギリス、
大英図書館蔵

装飾写本『ダロウの書』
7世紀後半／アイルランド、
トリニティ・カレッジ図書館蔵

装飾写本『ケルズの書』
8世紀末-9世紀初頭／アイルランド、
トリニティ・カレッジ図書館蔵

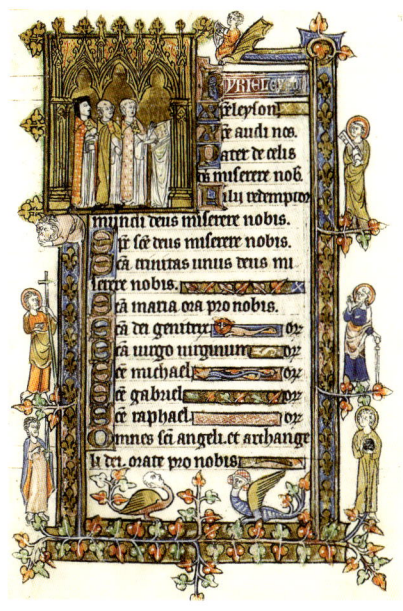

中世の装飾写本より「聖書台の前で歌う3人の聖職者」
1300-1325年頃／アメリカ、ウォルターズ美術館蔵

中世の装飾写本『詩篇』
1190-1200年／オランダ、ライデン大学蔵

227

『ベリー公の美しき時禱書』ランブール兄弟画／1410年頃／アメリカ、メトロポリタン美術館蔵

中世の装飾写本より「聖母子」　1480-85年頃／アメリカ、J・ポール・ゲティ美術館蔵

ト文化を色濃く残した地方でつくられた装飾写本である。そこにはケルトの組紐文様などのアルカイックな装飾がキリスト教文化と融合され、神秘的で謎めいた装飾が踊っていた。ノーサンブリアでつくられたサクソン族系の『リンディスファーンの福音書』(7世紀末-8世紀初頭)、アイルランドでつくられたケルト族系の『ダロウの書』(7世紀後半)や『ケルズの書』(8世紀末-9世紀初頭)などが代表作である。

　ヨーロッパ大陸では、シャルルマーニュ(カール)大帝によるカロリング朝ルネサンスが8世紀末にはじまり、ケルトの影響を受けつつ、本格的な写本文化を発達させる。

　カロリング朝のあとは、ドイツを中心とする神聖ローマ帝国のオットー期が、写本文化をさらに発達させる。それらが花開いたのは、12世紀のロマネスクの時代である。十字軍による東方との接触により、ビザンチン、イスラムの装飾を吸収しながら、大型の、モニュメンタルな装飾写本が制作される。エキゾティックな装飾がとり入れられ、特に怪獣をちりばめた頭文字などのグロテスク文が乱舞する。

　13世紀に入るとゴシック様式がはじまる。修道院や大聖堂のための大型本だけでなく、個人のための世俗本があらわれる。貴族の私的な礼拝のための『時禱書』が流行する。教会から世俗へと装飾写本の趣味が移り、テーマも聖君だけでなく、ボッカチオの『デカメロン』など世俗的物語が描かれ、表現もいきいきとした自然や日常生活を映すものとなってゆく。

装飾写本より「受胎告知」　1350-1400年頃／フランス、コンデ美術館

Domine labia mea aperies. Et os meum annuntiabit laudem tuam. Deus in adiutorium meum

本の装丁

8 Book Design

書物の建築

　本は小さな建築と考えることができる。まず外側（エクステリア）と内部（インテリア）がある。装丁は本の装飾であるが、外と内に分かれる。装丁を英語でいうと、ブックバインディングまたはブック・デザインである。バインディングは結びつけることで、本でいえばページを束ねて表紙をつけて製本することであり、エクステリアのデザインである。ブック・デザインは外と内の全体を指す。

　本の外と内のデザインは従来別々にあつかわれてきた。そしてほとんど外側、バインディングが中心に語られてきた。ウォルター・クレインは1896年に『書物と装飾——挿絵の歴史』を書いている。これは珍しく、本のインテリア・デザイン、つまり頁のレイアウトや挿絵などについて語っている。ウィリアム・モリスなどのアーツ・アンド・クラフツ運動は、これまでどちらかといえば軽視されてきた本のインテリアに注目し、頁の構成や書体、挿絵について論じている。その際にクレインが強調しているのは、頁が一

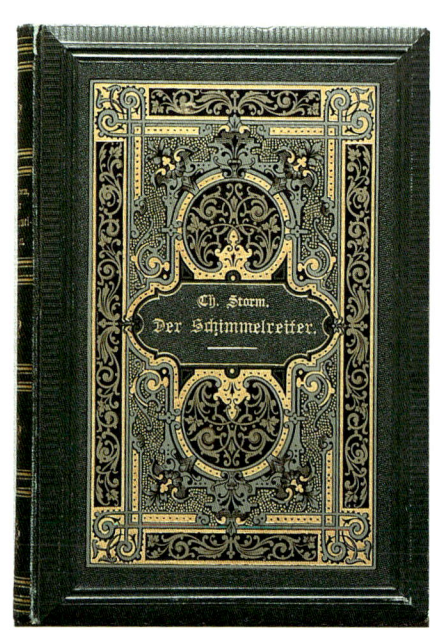

『ゴーストライダー』装丁　テオドール・ストーム著／1888年／ドイツ刊

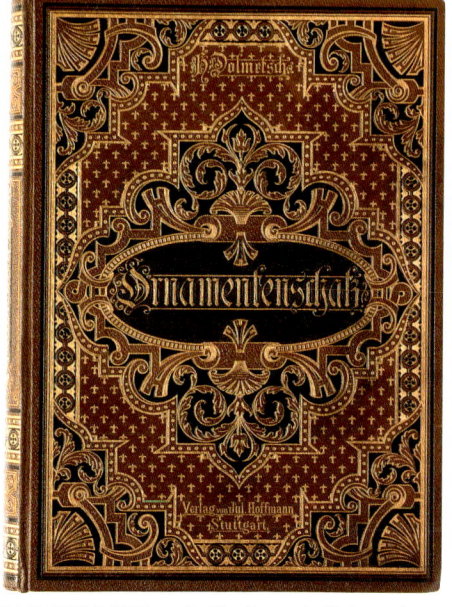

『文様の博物館』装丁　ハインリヒ・ドルメッチュ著／1886年／ドイツ刊

『ジェフリー・チョーサー作品集』挿絵　デザイン：ウィリアム・モリス／エドワード・バーン＝ジョーンズ画／編纂：F・S・エリス／印刷：ケルムスコット・プレス／出版：ハマスミス／1896年／イギリス

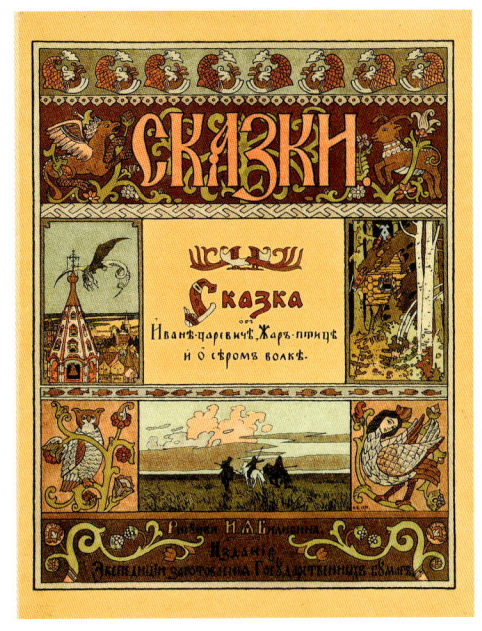

ロシア民話『イワン王子と火の鳥と灰色の狼』表紙　イワン・ビリービン画／1910年版／ロシア刊

体的に構成されなければならないということで、挿絵とそれを囲む縁飾りが無関係ではない、ということである。そしてクレインはこの本では触れていないのだが、本のインテリア（形だけでなく、内容も含めて）と本のエクステリア（カヴァー）を一体的にデザインすることを考えていたはずである。

　クレインがいっているように、中世の装飾写本では、書体と挿絵と装飾が一体化されていた。しかし近代の印刷による活版印刷は文字と挿絵と装飾の一体性を分解してしまった。

　さらに、本の外側にほどこされる革装などのバインディングは独自に発達し、本の内部、内容とはしだいに離れていった。

『イングリッシュ・イラストレイティッド・マガジン』1898年クリスマス号表紙　アルフォンス・ミュシャ画／1898年／イギリス刊

8 本の装丁

『メイド・マリアン、音符の城』表紙　トーマス・ラブ・ピーコック著／Ｆ・Ｈ・タウンゼント画／1900年／イギリス刊

アール・デコの本の装丁
ヨーゼフ・ホフマン作／1905年／オーストリア刊

　18世紀から19世紀にかけて、製本術が発達し、本のカヴァーの装丁は、独立した美術品のように豪華になった。しかしそれによって本の内容や内部のデザインとは無関係の装丁が目立つようになった。
　20世紀に入ると、それまでのごつごつした、枝のように硬く、厚い、皮革や厚紙のブックバインディングに代わって、ソフトな表紙で、内容をイメージさせるような本の装丁が主流になってくる。
　現代のソフト・カヴァーの本の時代にいると、19世紀のごつくて、威厳のあるブックバインディングにはおどろかされるが、おじいさんの書棚をのぞいているようで、あるなつかしさを感じる。表紙を見れば中身がわかるような本に慣れていると、厚い壁に包まれて、内部をのぞかせない本に興味をそそられたりする。

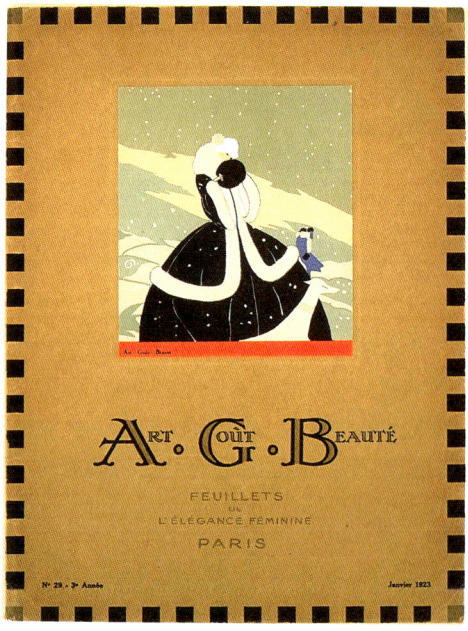

雑誌『アール・グー・ボーテ』No.29表紙
1923年／フランス刊

1 『ラ・ギルランド・デ・モワ』1917年本体
ジョルジュ・バルビエ画／1917年／フランス刊

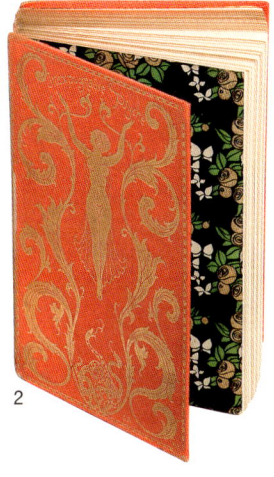

2 『ラ・ギルランド・デ・モワ』1918年本体
ジョルジュ・バルビエ画／1918年／フランス刊

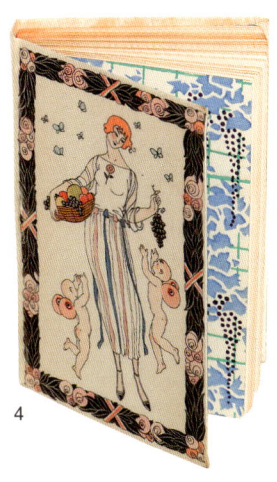

3 『ラ・ギルランド・デ・モワ』1919年本体
ジョルジュ・バルビエ画／1919年／フランス刊

4 『ラ・ギルランド・デ・モワ』1920年本体
ジョルジュ・バルビエ画／1920年／フランス刊

5 『ラ・ギルランド・デ・モワ』1921年本体
ジョルジュ・バルビエ画／1921年／フランス刊

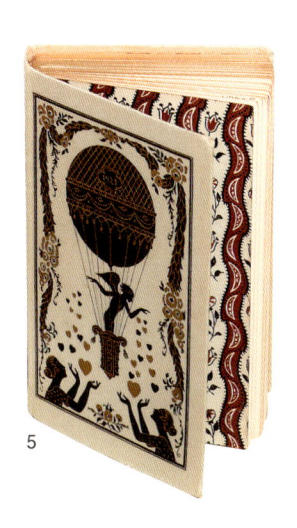

6 『ラ・ギルランド・デ・モワ』1919年
ケースとカバー
ジョルジュ・バルビエ画
／1919年／フランス刊

7 『ラ・ギルランド・デ・モワ』1921年
ケースとカバー
ジョルジュ・バルビエ画
／1921年／フランス刊

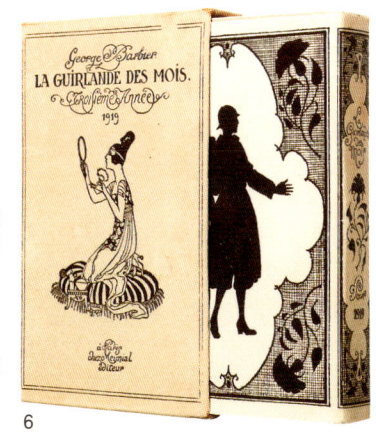

233

絨毯の歴史

敷物の中の楽園

　編んだ敷物というのは古代文明のはじまりからあったらしい。文様を織り出した絨毯は紀元前1000年にはもうかなり発達していた。そして西アジアは絨毯の産地として知られるようになった。今日、絨毯といえばペルシアが浮かぶように、ササン朝ペルシアは、6-7世紀には、

（左）**イラン製アルダビール絨毯**
1539-40年／イギリス、ヴィクトリア＆アルバート美術館蔵

（右）**イラン製草花文絹織物**
17世紀末／イギリス、ヴィクトリア＆アルバート美術館蔵

イラン製メダイヨン文絨毯　16世紀初頭／イギリス、ヴィクトリア＆アルバート美術館蔵

絨毯で有名となり、シルクロードを通して中国へ送られていた。

ペルシア絨毯にはしばしば、美しい庭園が織り出されていた。カーペットをくるくると広げると、川が流れ、木々が茂り、花が咲いている、この世の楽園があらわれる。砂漠をラクダで行く旅人たちは、カーペットのうちに理想郷を見ていたのである。

8世紀から14世紀まで、西アジアはカーペットの生産地となった。その中心はアルメニアで、ケルメスという緋色の染料がここでつくられ、緋色の絨毯は、最も好まれるものとなった。

シルクロードの途中のブハラ、タシケントなども、それぞれ絨毯の産地として知られるようになった。

16世紀にはペルシア産の絨毯は頂点に達した。その主な文様は、狩猟文、庭園文、メダイヨン文、分割文、花瓶文、動物文などである。分割文というのは、四角いカーペットの空間を、直線や格子などによって分割したパターンである。またアラビア文字を文様化したデザインも好まれた。

9 絨毯の歴史

1　イラン製マント市の絨毯
17世紀末／フランス、ルーブル美術館蔵

2　ミフラーブ（礼拝のためにメッカの方向に設けられた壁のくぼみ）文様の礼拝用絨毯
19世紀／イギリス、
ヴィクトリア＆アルバート美術館蔵

3　イラン製パイル織絨毯
1953年頃／日本、国立民芸博物館蔵

17世紀にはさらに豪華なカーペットがつくられた。ヨーロッパへの輸出が盛んになり、文様などもヨーロッパの注文にこたえるものとなった。

その後、ペルシアは衰退するが、カーペットは遊牧民たちに支えられ、民間で制作され、フォーク・アートとして生きつづける。

17世紀ぐらいからヨーロッパもカーペットの

3

製造がはじまる。そして19世紀には本格的につくられるようになる。19世紀末には、ウィリアム・モリスが、手織りの技術を復活させる。

　カーペットの主な材料は羊毛である。絹が使われることもある。そしてカーペットづくりの構成は、ループ（輪をつくる）、ノット（結ぶ）、ウィーヴ（織る）からなっている。輪をつくり、結び、それで絵をつくり、地の部分は縦横の組織で織っていく。そのプロセスは文様をつくっていくステップにも重なっている。輪をつくったり、結んだりする糸は添毛（てんもう）といい、それが文様をあらわしてゆく。カーペットの装飾空間は中央の地とまわりの縁の部分に分けられ、それぞれ別な文様によって飾られる。

刺繍の歴史

針と糸の魔術

布などの地に、糸を通した針を刺して文様をつくっていく刺繍は、古代のエジプトや中国ですでにあらわれているが、まとまった装飾芸術となるのは、4、5世紀頃からといわれる。そして刺繍においては特に、東西文化の交流の影響を受け、ヨーロッパの刺繍はペルシアや中国のデザインを敏感にとり入れている。軽やかで美しい刺繍は、東西貿易で好まれる商品と

「ポンパドゥール夫人」　モーリス=カンタン・ド・ラトゥール画／1755年／フランス、ルーブル美術館蔵
豪華な刺繍がほどこされたドレスをまとっている。

イギリス製刺繍の小箱
1650-75年／イギリス、ヴィクトリア&アルバート美術館蔵

フランス製花束リボン文様の縫取錦織
18世紀／フランス、リヨン織物美術館蔵

なり、遠くの国へと運ばれるとともに、東と西の
デザインの交換に役立っていたようである。
　エーゲ海のクレタなどの島々では12世紀か
ら15世紀にかけて刺繍が盛んになった。この
地域は東西貿易のルートになっていた。クレタ
島、ロードス島、スキロス島などはクレタ刺繍
といわれる製品の産地であった。
　ルネサンス期のイタリアも刺繍の盛んな地域
となった。高級品だけでなく、フォーク・アート
のモチーフを使い、民族衣裳に楽しい刺繍が

**イギリス製
花の刺繍と銀の
メタリック・レース
のドレス**
1700-50年頃／
イギリス、
ヴィクトリア＆
アルバート美術館蔵

239

イギリス製の麻地に色絹糸の刺繍をあしらった装飾布　アーチボルド・クリスティー作／1914年／イギリス、ヴィクトリア＆アルバート美術館蔵

ほどこされ、さらに家具の装飾にも使われた。

　エーゲ海やイタリアには、トルコやアルジェリアの刺繍が入ってきて、影響を与えた。トルコでは刺繍が非常に発達した。

　イタリアとともにヨーロッパの刺繍のもう1つの中心になったのはスペインである。ムーア人の支配を受けたこともあって、イスラム文化の華麗なアラベスクが伝わり、金と黒の組合せによる豪華な刺繍がつくられた。黒羊の毛糸を使った黒糸刺繍はイギリスに輸出され、好評であった。

　ヨーロッパのその他の国でも、十字軍の東方遠征でもたらされたイスラム文化との出会いによって、刺繍が盛んになっている。それ以前から刺繍はあったけれども、東方の製品が新しいぜいたくな装飾文化をもたらしたのである。

　それによって、フランスでも刺繍がつくられるようになった。はじめはイタリアの職人を呼んでつくられたが、やがてフランスの刺繍産業が育ってきた。刺繍ははじめ教会用の祭服などに使われたが、宗教改革以後は貴族や商人の世俗的な服にも使われるようになり、文様も自由になった。ルイ14世の時、フランス文化の豪華さは最高潮に達し、金糸、銀糸や宝石などによる刺繍がつくられた。

　またフランス宮廷では貴婦人が手芸として刺繍などをつくるのを奨励し、学校をつくった。

　19世紀の英国でも手芸のルネサンスがあり、ヴィクトリア期の女性は刺繍をはじめとする手芸に関心を抱いた。ウィリアム・モリスの工房では、彼女たちによる見事な作品がつくり出された。

リトアニアの
伝統刺繍

ドイツの
伝統刺繍

チェコの
伝統刺繍

レースの歴史

11 Lace

すき間の音楽

　レースは、糸とすき間で構成されている。透けていて、すき間の空気と糸の曲線が戯れているところがレース細工の魅力であろうか。

　レースは、ネット（網）などから発達したと見られる。魚網は原始時代からつくられていた。古代エジプトでは風通しのよいガーゼ織があった。目のあらい、すき間のある織物（ネットワーク）から、編物、刺繍などが発生した。レースもその中に含まれていた。それがレースとして独立してつくられるようになったのは15世紀ルネサンス以後である。

　レースは大きく、ニードルポイント・レースとボビン・レースに分けられる。ニードルポイントは1本の糸と針によってつくられる。ボビン・レースはボビン（糸巻）に巻いた何本もの色糸を組み合わせながら使うもので、ニードルポイントよりおくれてあらわれる。ボビン・レースはマクラメから発達したといわれる。マクラメは織物の端に出る糸をより合わせたり、結んでつくる縁飾りである。

　ルネサンス時代にレースは独立した作品として登場する。15世紀にはニードルポイント、16世紀にはボビン・レースが見られるようになる。そして白い亜麻糸がよく使われるようになる。亜麻が色染めしにくいこと、そしてルネサンスには白がはやったことが、白いレースの流行を生んだといわれる。さらにルネサンスでは、シンメトリックで明快な幾何学文、バランスなどがデザインとして重視され、レースはその趣味にぴったりであった。

　ルネサンスではレースはまだ下着の飾りなどに使われたが、17世紀には大きく、派手な作品がつくられ、イタリア、フランスのレースは諸国で人気のある商品として求められるようになる。バロックの派手なレースの時代に入る。

　バロック・レースの中心は、ヴェネチアや

「アルマーダ海戦時のエリザベス1世」　ジョージ・ゴーワー画／1570年代-90年代　この時代、イギリスではヴェネツィアから輸入されたレースが豪華に衣裳を飾っていた。

ロココ時代のフランス製真珠
と金箔のレース文様の装飾扇
18世紀半ば／イギリス、
ヴィクトリア＆
アルバート
美術館蔵

ジェノヴァであった。フランスではルイ14世の王室がイタリアやフランスの職人を招き、フランスのレース産業を盛んにした。

18世紀のロココ・レースの時代になると、レースは軽快で、女性的なものとなり、それまでニードルポイントが主流であったが、ボビン・レースがひろまってきた。それは、レース細工の一般的な普及につながり、やがて18世紀末

1　カンジナビア地方製ニードルポイント・レースの裾飾り
1635年頃／フランス、リヨン織物美術館蔵

2　イタリア製ニードルポイント・レースの縁飾り
17世紀前半／イギリス、ヴィクトリア＆アルバート美術館蔵

3　ベルギー製ブリュッセル・ボビン・レースのラペット
（垂れ飾り）　1740-50年代／イギリス、
ヴィクトリア＆アルバート美術館蔵

4　フランス製ニードルポイント・レースの縁飾り
1870年頃／イギリス、ヴィクトリア＆アルバート美術館蔵

11 レースの歴史

からレース機械がつくられ、大量生産ができるようになった。

　機械レースは産業革命の国であるイギリスで発明され、近代レース産業がはじまった。織物機械を改良して、ボビンを機械的に動かしたのである。

　19世紀になると、手工芸が再評価され、ヴィクトリア期の女性たちによるニードルポイントのリヴァイヴァルがあった。

イギリス・フランス製ウェディング・ドレス
1872-74年頃／イギリス、ヴィクトリア＆アルバート
美術館蔵　細いストライプの入ったクリーム色のシ
ルクガーゼ布に絹糸のレースがあしらわれている。

3

1　フランス製レース風花文様の縫取錦の絹織物
18世紀／フランス、リヨン織物美術館蔵

2　フランス製レース風花文様の壁布
1810年頃／フランス、リヨン織物美術館蔵
皇妃マリー・ルイーズのベルサイユ宮殿居間の
ためにつくられた。

3　ベルギー製ボビンとニードルポイント・
レースの襟飾り　1845年頃／フランス、
リヨン織物美術館蔵

4　ベルギー製ボビン・レースのボンネット
（帽子）　1725年頃／フランス、
リヨン織物美術館蔵

宝飾の歴史

12 Jewellery

人間を飾る星

　宝飾（ジュエリー）は、人間の体を飾る装飾である。装飾は建築や家具といった人間以外につけるものと人間につけるものに分けることができるのではないだろうか。人間につける装飾には衣服や靴といったものも含まれる。しかしそれらは、人間の体を守るという機能を持つ道具であるが、指輪や首飾りといった宝飾品は

エナメル、ダイヤモンドのイギリス製「アルマーダの宝石」 1595年／イギリス、ヴィクトリア＆アルバート美術館蔵
スペインの無敵艦隊「アルマーダ」撃破後にエリザベス1世の命で制作された。

ダイヤモンドとエナメルのオランダ製胸飾り 1630年頃／イギリス、ヴィクトリア＆アルバート美術館蔵

金、ダイヤモンド、エナメルの花束ブローチ 17世紀／イギリス、ロンドン博物館蔵

246

金、銀、トルコ石、エナメルのネックレスとイヤリングのセット
1845年頃／ドイツ、フォルツハイム・ジュエリー美術館蔵

カメオ・ブローチ、パールと金のチェーン・ネックレス、
ダイヤモンドの亀のブローチ、金とガーネットの蛇のブローチ、
ダイヤモンドとエナメルのわにのブローチ　19世紀／イギリス

　道具ではなく、純粋な装飾である。つまり日常生活としては、指輪はつけてもつけなくてもよい。
　宝飾は、装飾そのもの、装飾のエッセンスともいえるだろう。ではなぜ、人間は宝飾品を身につけるのか、きれいに見せたいからだろうか。おそらく、宝飾の起源には、なにかの意味があったろう。きれいな宝石を見つけて所有し、身につけると、他の人とはちがって見える。所有し、それを見せることで、他の人とはちがう、特別の力を持つことを示すのだ。不思議な珍しい石は、持つ人に魔術的な力をもたらすという考えが、宝飾の起源にあったのではないだろうか。なぜなら、宝石は不滅の光を放っており、死すべき人間に対し、永遠を象徴しているからだ。

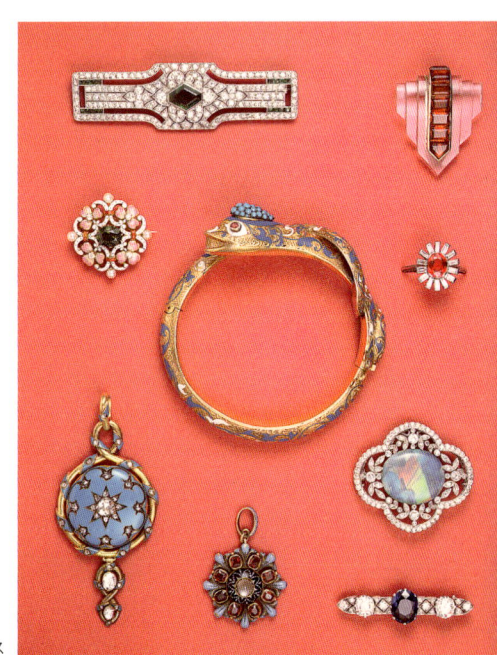

ヴィクトリアンのジュエリー　19世紀／イギリス

247

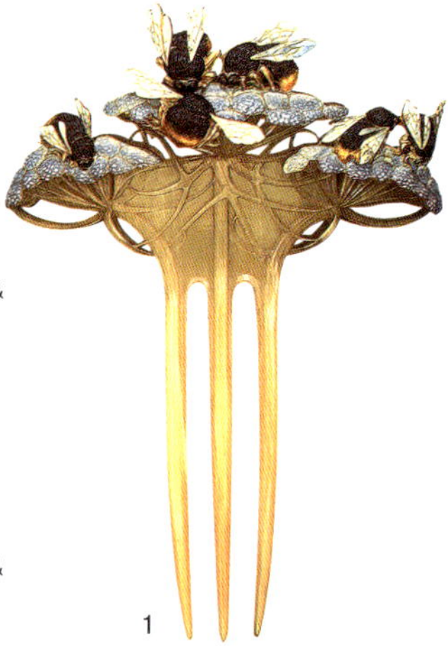

12 宝飾の歴史

1　金、エナメルの花と
マルハナハチ文櫛
ルネ・ラリック作／
1901-02年
イギリス、ヴィクトリア＆
アルバート美術館蔵

2　金、銀、ガラス、
トゥルーマリンの
甲虫形胸飾り
ルネ・ラリック作／
1903-04年
イギリス、ヴィクトリア＆
アルバート美術館蔵

金、エナメル、真珠、青貝、半貴石のペンダント
アルフォンス・ミュシャ作／1900年／フランス

　石器時代から不思議な美しい石の魔術的な力への信仰があり、古代文明においては、王たちが宝石を身に飾って、権力を誇示した。旧約聖書でもイスラエルの神官は、宝石をちりばめた胸板をつけている。その中心にダイヤモンドが輝いている。ダイヤモンドは硬く、決して壊れないものを意味している。

　宝飾品は古い歴史を持っているが、ルネサンスの時代に大きく変わる。それ以前は、王や神官などの儀式のための装飾であり、しかも独立したものというより、祭服などに縫いこまれた、大きな装飾の一部にしかすぎなかったが、ルネサンス以降は、首飾りや指輪などとして、独立したアクセサリーとなってくる。その変化は、ドレス・アクセサリーからボディ・アクセサリーへ、として語られている。

　ルネサンス以後、宝飾は独立した装飾として、大型になり、自立してくる。さらに王とか神官ではなく、個人の飾りとして一般化してゆく。そして18世紀になると、宝飾品は女性のアクセサリーに移ってゆく。近代には、ジュエリーは女性のものとなり、男性はあまりつけなくなる。

　19世紀には近代ジュエリーの歴史がはじまる。19世紀末のアール・ヌーヴォーはルネ・ラリックなどの装飾デザインによって、伝統的な宝飾品の形を一新する。そして1920年代の新しい女性は、手や足を大胆に出し、アクセサリーを肌に直接つけるようになり、ブレスレットやロング・ネックレスなどがアール・デコ・ジュエリーの流行をもたらす。

248

(左から)アール・デコのコンパクト、ペンダント、時計、ブローチ、ライター、イヤリングとイヤリングかけ
1920-30年代／日本、東京国立近代美術館蔵

フランス製化粧具
ケース（宝石店
ヴァン・クリーフ・
アンド・アーペルの
ニューヨーク支店
の製品）／1927年

プラスティック・
バッグ
1940年代

249

索引

- ●色文字は主要掲載頁です。
- ●本書ではギリシア・ローマ神話の人物名はギリシア名を主に採用し、同一視される対応ローマ名、英名を括弧内に記しました。各人物の属性は必ずしも完全には一致しません。

あ

アイギス　45
愛の贈りもの　166
アイリス　141, 191
アウグストゥス　43, 45
アウロファーベル、ベルトルドゥス→ベルヒトルド
『アエネーイス』　224
アカンサス　13, 14, 38, 40, 42, 43, 44, 60, 68, 111, 130-131, 132, 216
アカントス　13, 130
アキレウス（＝アキレス、アキリーズ）　39
アクセサリー　176, 193, 248
アクタイオーン（＝アクティオン）　150
アーケード　60
アーサー王伝説　56
薊（あざみ）　130
アダム　63, 159, 176
アダムの創造　74-75
アダム、ロバート　151
アーチ　9, 18, 66
アーツ・アンド・クラフツ運動（様式）　11, 26, 72, 96-99, 117, 122, 130, 143, 147, 148, 156, 158, 183, 191, 225, 230
アーツ・アンド・クラフツ展覧協会　99
アッシュールナツィルパル2世　34
アッシュールバニパル　35
アディーナト・アッ・ザハラ宮殿　114
アテーナー（＝ミネルバ、ミネルヴァ）　45
アドーニス（＝アドニス）　136
アート・ワーカーズ・ギルド　99
アネモネ　148
アベル　179
あぶみ→馬具
アブラハル、ホスキンズ　94-95, 115, 143
アプロディーテー（＝ウェヌス、ヴィーナス）　136, 146
アポロン（＝アポロ）　78, 81, 135
アマリエンブルク　84
アマリリス　146
編物　14, 242
アームチェア　78
アーモンド　190
アラ・パキス・アウグスタエ　43, 212, 215
アラビア式　52
アラビア文字　55, 223, 235
アラベスク→唐草
アリアーニ（アリウス派）洗礼堂　186
『アリョーヌシカ』　90-91
アルカイック　38, 39, 228
『アール・グー・ボーテ』　106, 118, 119, 123, 128, 232
アルゴー号　164
アルゴス（＝アルグス、アーガス）　188
アルダービル絨毯　234
アール・デコ（様式）　12, 22, 25, 26, 96, 104-108, 116, 117, 118, 119, 145, 164, 166, 167, 169, 176, 178, 190, 192, 193, 199, 206, 248
アルテミス（＝ディアナ、ダイアナ）　150, 167

アルファベット　9, 10, 209, 222, 223
アール・ヌーヴォー（様式）　11, 12, 22, 25, 26, 58, 96, 100-103, 104, 106, 108, 122, 123, 135, 138, 140, 141, 142, 143, 144, 145, 146, 147, 160, 176, 180, 188, 191, 192, 193, 194, 198, 199, 248
アルマダの宝石　246
アレクサンドロス（大王）　30, 40, 174
アローリ、アレッサンドロ　163, 204
アングル、ジャン＝オーギュスト＝ドミニク　152
アンジェ城　195
アンジェの黙示録　195
アンテミオン（＝ニンドウ文）　40, 43
アンデルセン　200
アンドレ、エミール　103
アントワネット、マリー　82, 84
アンピトリーテー　45
アンピール様式　21, 92, 93

い

イアーソーン（＝ジェイソン）　164
イヴ　63, 159, 176
イェルショフ、イーゴリ　90-91, 199
イーオー（＝アイオー）　170, 188
イオニア式　39, 216
いぐさ　191
イコン（＝聖像）　60, 86, 87, 89
イシス（女神）　170
イシュタル（女神）　36-37
イシュタル門　36-37, 132, 163
椅子　108, 133, 191
イスラエルびと　164
イスラム（様式）　50-55, 60, 114, 124, 127, 141, 174, 183, 228, 240
イタリック書体　222, 224
いちご　158
いちご泥棒　12, 96-97, 158, 183
市松文様　117
一角獣狩り　197
犬　39, 164, 169
猪　169, 175
イマーム　52
イマーム・モスク　10, 50-51, 115
イヤリング　211, 247, 249
イラン神話　52
イーリス、イリス→アイリス
イリュージョン　80
イルカ　179
イルカに乗った少年　179
イルミネーテッド・マニュスクリプト　226
『イワン王子と火の鳥と灰色の狼』　90, 199, 231
『イングリッシュ・イラストレイティッド・マガジン』　231
印章　34, 35
インターナショナル・スタイル　22
インド　21, 120, 123, 134, 151, 152, 173, 174, 188, 196, 201

う

ヴァラン、ウジェーヌ　103
ヴィクトリア女王　94
ヴィクトリア様式→ヴィクトリアン
ヴィクトリアン（＝ヴィクトリア様式・期）　21, 92, 94, 144, 186, 240, 244, 247
ウィトルウィウス　13
ヴィーナスの誕生　181
ウィーン・セセッション派→ウィーン分離派
『ウィーン創世記』　63, 65, 226
ウィーン分離派　137, 146
ウェイドル、ポール　114

ヴェスプッチ、シモネッタ　177
ヴェッキオ宮殿　77
ウェブ、フィリップ　98, 130-131
ウェディング・ドレス　245
ウェルギリウス・マロー、プブリウス　224
ヴェルサイユ宮殿　78, 80, 132
『ヴェル・サクルム』　107
ヴェルヌイユ、モーリス・ピラール　104
うさぎ　39, 166
牛　36-37, 41, 170, 172, 174, 188, 201, 226
渦巻（＝スパイラル）　16, 21, 30, 38, 41, 43, 46, 56, 58, 85, 124-125, 126, 129, 152, 180, 216
『美しき金髪のマリヤとイワン』　90-91
馬　86, 112, 113, 168, 172, 196
海蛇　38
ウル　35
ウロコ　46, 118, 176, 188

え

『英国の吟遊詩人』　94-95, 115, 143
エウクシテオス　39
エウクロニオス　39
エクセキアス　168
エジプト（様式）　19, 21, 25, 26, 30-33, 34, 36, 38, 40, 51, 52, 60, 62, 71, 93, 113, 114, 118, 119, 120, 123, 124, 126, 130, 132, 163, 170, 171, 172, 175, 176, 182, 184, 199, 202, 226, 238, 242
S字　83, 122, 176, 178, 179, 191, 194, 219
エトルリア文字　223
エドワーディアン　21
エドワード1世　139
エトワール凱旋門　92
襟飾り　244-245
エリザベス1世　242, 246
エリス、F・S　231
エレクテイオン神殿　216, 217
エロース（＝キュピド、キューピッド）　39, 142
円　8, 9, 16, 35, 120-121, 122, 124, 133, 136, 159, 220, 221
円蓋（えんがい）バシリカ方式　60
円花文　120, 136, 143, 151
遠近法　74
燕尾服（テイルコート）　190

お

扇　83, 103, 137, 142, 243
王家の谷　31, 32
黄金の羊　164
オウム　149
オクラード　87
オースティン、ジェーン　188-189
オーダー→柱頭（装飾）
おだまき　148
オットマン式　
『オデュッセイア』　204
オデュッセウス（＝ユリシーズ）　163, 175, 204, 205
おひつじ座　164
オリエント　21, 26, 40, 113, 114, 154, 160, 162, 174, 192, 213, 222
織物　14, 15, 47, 72, 87, 116, 117, 121, 152, 155, 211, 212, 242
オリンピック　132
オール・オーヴァー・パターン　50, 52
オルタ、ヴィクトール　103
オルタ邸　103
折れ線　16, 118
雄鶏　112

か

外棺　31

250

開口部 66
怪獣(文様) 46, 48, 56, 86, 202, 228
海藻 38, 84
貝の家→カーサ・デ・ラス・コンチャス
カウンティ・アーケード 94
カエル 195
鏡 39, 82, 84, 140, 162, 209
鏡の間(=ギャラリー・デ・グラース) 78, 84, 132
『輝く平原の物語』 224
花器 193
嗅ぎタバコ入れ 85
カクテル 39, 175, 179, 184
カーサ・デ・ラス・コンチャス(=貝の家) 181
飾り文字 56
果実あるいはざくろ 155
カシミア・ショール 152
カストール(=カスター) 162
カズラ 72, 155
ガゼル 34
『形と色』 167, 186-187
ガッラ・プラキディア廟堂 165
花鳥文 182, 183
ガニュメーデース(=ガニュメデ, ガニミード) 184
花瓶 192, 205, 206, 235
兜 36, 56, 220
甲虫 248
壁紙 14, 90, 96, 116, 122, 130, 143, 145, 148, 155, 157, 190, 191
カーペット 148, 183, 235, 236, 237
『壁と天井の現代装飾』 116, 117, 118, 123
壁布 244-245
神の子羊 164
神の子を崇めるマドンナ・トーディ 74
亀 247
カメオ 45
カメリア→椿
鴨 51
家紋 220
カラヴァッジョ, ミケランジェロ・メリージ・ダ 78
唐草(=アラベスク, ランソー) 6, 7, 9, 10, 11, 13, 18, 19, 22, 38, 41, 42, 43, 44, 46, 47, 50, 51, 52, 55, 56, 100, 103, 114-115, 130, 156, 172, 194, 208, 212-213, 223, 240
カラッチ, アンニーバレ 78
ガーランド(=花輪) 150
カリアティド 217
カリグラフィ 9, 10, 222-225
カール大帝→シャルルマーニュ大帝
カルトゥーシュ 31, 129
カルニュクス 175
ガレ, エミール 100, 103, 142, 192, 193
カレンダー 101
カロリング書体 222, 223
瓦 203
罐(かん) 46
カンディンスキー, ワシリー 216
寒冷紗 128

幾何学文様 8, 9, 12, 13, 14, 15, 18, 26, 30, 31, 38, 41, 46, 50, 52, 66, 74, 80, 110, 114-129, 130, 132, 221, 242
期待 160
狐 112, 121, 169
絹織物 46, 47, 116, 121, 122, 133, 148, 154, 162, 183, 192, 193, 194, 195, 213, 234, 244-245
絹の道→シルクロード
きのこ 100

貴婦人と一角獣 148, 149, 196-197
貴婦人の肖像 132
ギベルティ, ロレンツォ 74
キャピタル 216
ギャラリー・デ・グラース→鏡の間
キュヴィエ, フランソワ・ド 84
旧サルヴィアーティ邸(=トスカーナ銀行) 163, 204
宮廷の恋愛 148, 166, 196, 197
旧約聖書 138
キュビスム 104
玉座の聖母子→ろうそくの聖母
曲線(文様) 8, 9, 11, 35, 38, 41, 48, 50, 52, 56, 58, 78, 80, 82, 83, 84, 93, 100, 102, 114, 118, 120, 123, 124, 127, 134, 150, 156, 176, 178, 191, 194, 200, 216, 220, 223, 224, 242
鋸歯(きょし) 123
ギリシア(様式) 11, 13, 19, 21, 26, 38-41, 42, 43, 44, 47, 51, 60, 62, 74, 113, 114, 126, 130, 133, 135, 140, 143, 150, 156, 163, 164, 168, 169, 170, 171, 174, 175, 178, 179, 180, 181, 184, 186, 200, 202, 203, 204, 205, 206, 212, 213, 216, 222, 223, 226
ギリシア神話 38, 135, 138, 142, 146, 154, 159, 162, 164, 167, 169, 171, 184, 188, 198, 203
ギリシア雷文→グリーク・キイ
キリスト, イエス 62, 65, 72, 161, 164, 171, 186, 196, 199
キリスト教 21, 56, 58, 65, 66, 88, 89, 136, 138, 143, 147, 160, 164, 166, 176, 186, 199, 201, 226, 228
キルケー 163
ギルド 96, 99
ギロシュ(=組紐文) 38, 41, 56, 58, 59, 127, 228
金貨 168
金星 36
金鈿荘大刀(きんでんそうたち) 22
銀盤 47
金曜のモスク→ジャーメ・モスク
草花文 48, 125
楔形文字(=クネイフォルム) 34, 222
櫛 248
孔雀 100, 188-189, 195
くつわ→馬具
クトゥブ 146
首飾り 246
クヌム神殿 32
クネイフォルム→楔形文字
クノッソス宮殿 41, 138, 179
熊 169
組紐文→ギロシュ
鞍→馬具
クライスラービル 104
クラシック 38, 39, 40, 74, 94
グラスゴー・グループ 58
グラッシ, ジョヴァンニーノ・デ 72-73
『グラマー・オブ・オーナメント』→『装飾の文法』
グランヴィル, J・J 210
クリヴェッリ, カルロ 139, 159, 199
グリーク・キイ(=グリーク・フレット, ギリシア雷文) 38, 41, 43, 126, 214
クリスティー, アーチボルト 158, 240-241
クリスマス・カード 144
クリスマス・ツリー 160
グリフォン 113, 201, 202
クリムト, グスタフ 160, 177
グリュベール, ジャック 100, 103
『グレイズ・エレジー(=トーマス・グレイの哀歌集)』 224

グレイ, トーマス 224
グレイハウンド 169
クレイン, ウォルター 190, 191, 200, 230, 231
クレタ刺繍 239
クレディ・リヨネ銀行 100
グレープヴァイン→ぶどう唐草
クレマチス 100
グロテスク 42, 45, 70, 77, 113, 114, 193, 194, 228
軍旗 35

桂冠詩人 135
ゲーテ 107
罌粟(けし)→ポピー
化粧具ケース 249
月桂樹 135
『ケルズの書』 56, 58, 185, 227, 228
ケルト(様式) 21, 26, 46, 56-59, 60, 66, 68, 71, 86, 124, 127, 168, 170, 171, 184, 194, 201, 226, 228
ケルビム 201
ケルベロス(=サーベラス) 169
ケルムスコット・プレス 99, 157, 210, 224, 231

匣(こう) 62, 66
交叉オジーヴ 70
格子 7, 8, 9, 15, 18, 48, 117, 119, 120, 156, 208, 221, 235
合成(=コンポジット)式 216
黄道12宮 101
こうのとり 121
『高慢と偏見』 188-189
香炉 48
五角 119
国章 220, 221
ゴシック(様式) 20, 21, 24-25, 26, 58, 60, 70-73, 74, 93, 94, 96, 99, 103, 136, 138, 140, 142, 143, 147, 148, 150, 151, 158, 159, 160, 162, 166, 167, 173, 181, 184, 192, 194, 196, 209, 218, 219, 228
ゴシック(書)体 24-25, 222, 223, 224
ゴシック・リヴァイヴァル 72, 92, 94, 96, 130, 148
コスチューム・デザイン 88-89
『ゴーストライダー』 230
ゴッドウィン, エドワード・ウィリアム 192
小箱 151, 238
子羊→ラム
胡風(こふう) 51
コブラ 31
ゴブレット 196
『コメディア・イリュストレ』 88-89
『コーラン』 50, 52, 223
コリント式 40, 44, 130, 216
ゴルゴーン(=ゴーゴン)3姉妹 203
コレッジョ 76
ゴーワー, ジョージ 242
コンスタンツァ 157
コンスタンティウス帝 157
昆虫(文様) 192-193
コンパクト 249
コンプルトゥム遺跡 178
コンポジット式→合成式

さ
最後の審判 68
祭壇画 72, 79, 139, 199
彩陶 46
彩釉陶枝 55

盃　147, 172	酒杯　48	『世界装飾図集成』　116, 118, 119, 122, 124, 125, 126, 127, 129, 134
魚　38, 178, 179, 180, 200, 204	狩猟文　235	『世界のかなたの森』　210
昨鳥（さくちょう）→花喰鳥	『ジュルナール・デ・ダーム・エ・デ・モード』　128	セギー、ウジェーヌ　192
ざくろ　138, 154-155	シュルレアリスム　104	石棺　42, 150
指物　129	シュロ→パーム	千花文様（＝ミルフルール）　148-149, 173
サソリ男（＝スコーピオン・マン）　34	象形文字　9, 10, 30	線刻文様　48
サテュロス（＝サテュルス、サター）　171, 206	成就　160	戦勝碑　36
皿　49, 85, 126, 141, 147, 166, 178, 200, 202, 203	少女の玄関　217	染織　117, 121, 122, 132, 153, 158, 211
更紗　96, 148	肖像　55, 85, 92, 132, 152, 154, 177, 221	センチュリー・ギルド　99
サラセン式　52	正倉院　22, 51, 211	尖頭　138
猿　149, 172	正倉院ぶどう唐草文　213	尖頭アーチ　70
サルペードーン（＝サーペドン）　39	燭台　191	セント・ジョージ・キャビネット　98
サルモニデ　178	植物（文様）　8, 9, 14, 15, 18, 26, 31, 35, 47, 48, 50, 51, 52, 56, 74, 80, 87, 88, 99, 100, 102, 111, 112, 113, 123, 130-161, 208, 216	ゼンペル、ゴットフリート　14
『サロメ』　102, 188	ジョージ（聖）　194	象　173
サン・ヴィターレ聖堂　64-65, 164, 165, 188	ジョシュアの戦闘　168	双獣文　162
三角　8, 9, 16, 104, 110, 111, 118, 123, 134, 221	食器　68	『装飾空間論』　11
サン・クレメンテ教会　161	『書物と装飾──挿絵の歴史』　230	装飾写本　56, 57, 58, 59, 60, 62, 63, 65, 68, 69, 72-73, 99, 127, 129, 130, 139, 140, 142, 143, 162, 168, 171, 172, 186, 206, 210, 223, 226-229, 231
サン・ジョヴァンニ洗礼堂　74	ショール　155	『装飾の言語──装飾美術のスタイル』　24
3色すみれ→パンジー	ジョーンズ、オーウェン　11, 12, 13, 18, 58, 118, 119, 120, 123, 124, 126, 127, 134, 215, 224	『装飾の文法』（＝グラマー・オブ・オーナメント）　12, 13, 58, 118, 119, 120, 123, 124, 126, 127, 134, 215
サンタ・クララ修道院　161	『ジョン・ボールの夢』　168	『装飾文様の歴史』　40
サンタ・コンスタンツァ聖堂　157	シルクロード→絹の道　20, 22, 46, 47, 48, 51, 114, 134, 145, 156, 212-213, 235	草書体（＝筆記体）　223, 224
サンタポリナーレ・イン・クラッセ聖堂　165	シーレーノス（＝シレーヌス、サイリーナス）　206	装身具　51
サンタポリナーレ・ヌオヴォ聖堂　63, 186	真の十字架　62, 66	『創世記』　74-75
サンタンドレア礼拝堂　182	新約聖書　225	装丁　107, 129, 210, 230-233
サント・シャペル　138	水仙　140, 141	装丁板　170, 184
サン・パオロ門僧院　76	スィームルグ　55	ソルンツェフ、フョードル　90
三博士　63, 76, 148-149	スカーフ　153	ソロモン　138
サン・ピエトロ大聖堂　79	スカラベ　31	ソロン、マルク＝ルイ＝エマニュエル　205
サン・ピエール教会　202	スキャロップ→ほたて貝	
サン・マルティン聖堂　217	スクリーン　108	**た**
シェエラザード　88-89	スコーピオン・マン→サソリ男	タイタス（ティトゥス）浴場　114
シエナ大聖堂　70, 72	裾飾り　243	タイポグラフィ　224
『ジェフリー・チョーサー作品集』　231	ズッキ、ヤコボ　77	太陽　8, 9, 36, 120, 143, 151, 167, 175, 184, 196, 199
鹿　34, 86, 150, 167	ステンドグラス　72, 100, 151, 218-219, 226	太陽円盤　38
四角　16, 17, 110, 111, 117, 118, 119, 221	ストーム、テオボール　230	太陽王→ルイ14世
『視覚芸術入門』　16	ストラヴィンスキー　199	太陽神→アポロン
ジークフリート　194	ストラスブール大聖堂　219	タイル　55, 72, 96
死後の世界　30, 31	スパイラル→渦巻	ダ・ヴィンチ、レオナルド　19, 74
C字　122, 124, 179, 194	スフィンクス　202	タウンゼント、F・H　232
刺繍　88, 155, 158, 211, 238-241, 242	すみれ　138, 142, 148	楕円　76, 120, 220
システィーナ礼拝堂　74-75		鷹　31, 183, 184
支柱　66	聖ヴィタ大聖堂　219	多角　119
『時禱書』　72-73, 142, 143, 210, 228	聖エリギウスの奇跡　168	竹　103
シトヒトホルリウネト王女　33	正円　74, 76, 120	たこ　38, 180
シノワズリ（＝中国趣味）　48, 82, 83, 172, 194	青海波（せいがいは）　103	タージ・マハル　55
詩篇　227	青花文　148	タータン　117
縞　7, 8, 9, 17, 111, 116, 117, 120, 174, 208, 221	星菫（せいきん）派　142	磔刑（たっけい）　62, 161
『島の女』　179	星座　170	盾　56, 209, 220
地文　65, 148	聖書　136, 154, 171, 219	ダプネー→ダフニ　135
ジャコビアン様式　160	聖像→イコン	タペストリー　49, 92, 130-131, 148, 149, 166, 167, 168, 169, 173, 174, 195, 196-197, 201
シャー・ジャハーン　55	青銅器　38, 46, 47, 48, 56	タベルナクル　71
鯱（しゃちほこ）　179	聖ニコライ聖堂　217	だまし絵　80
ジャポニスム（＝日本趣味）　48, 100, 102, 145, 192	聖杯伝説　56	ダラム大聖堂　66-67
写本→装飾写本	正方形　74, 76	ダール、ジョン＝ヘンリー　116, 130-131, 147, 148-149
ジャーメ・モスク（＝金曜のモスク）　212	聖母子　63, 143, 148, 150, 228	『ダロウの書』　58, 227, 228
シャルトル大聖堂　71	聖母マリア　82, 136, 138, 158, 186, 196	タンパン　66
シャルルマーニュ（＝カール）大帝　223, 228	生命の木　160-161, 162	唯美主義　188
19世紀（様式）　92-95, 116, 122, 127, 128, 135, 142, 144, 152, 160, 184, 186, 190	セイレーン（＝シーレーン、サイレン）　39, 204-205	
十字架　56, 59, 62, 65, 160	ゼウス　38, 39, 138, 141, 170, 171, 184, 188	チェスト　108
絨毯　20, 35, 50, 72, 85, 211, 212, 234-237	ゼウス神殿　40	チェッカーボード（＝チェッカー盤）　117
獣面文（＝饕餮文・とうてつもん）　46		チェック　117
ジュエリー→宝飾		チェリーニ、ベンヴェヌート　167
シュジェール　185		チェリー・ローレル　135
受胎告知　72, 228-229		
シュタインハウゼン巡礼教会　82		
出エジプト記　72-73		

252

中国（様式）　10, 20, 21, 22, 26, 46-49, 114, 124, 135, 141, 148, 174, 192, 194, 199, 212, 213, 235, 238
中国趣味→シノワズリ
柱頭（装飾＝オーダー）　40, 42, 44, 60, 62, 130, 202, 205, 216-217
チューリップ　122, 137, 147
チューリップマニア（＝チューリップ狂）　147
蝶　192
『蝶』　192
張騫（ちょうけん）　211
彫刻　37, 39, 42, 43, 66, 80, 179
長方形　76
ツィンマーマン、ヨハン・バプティスト　82
ツヴィンガー宮殿　206
月　36, 196
ツタンカーメン王　176
綴織　129, 198
椿　145
『椿姫』　145
つばめ　190
壺　38, 41, 92, 133, 154, 164, 171, 180, 185, 205

ディアドゥメノス　40
ディヴァン・ジャポネ　102
庭園　80, 83, 84, 235
ディオニュソース（＝バックス、バッカス）　42, 152, 174
デイジー→ひなぎく
ディプティク（二連板）　151
テイルコート→燕尾服
ティンクトリス、ヨハネス　171
『デカメロン』　228
テキスタイル　104, 155, 163, 167, 186-187
テキスタイル・デザイン　137, 158
デジャルダン、マルタン　80
テーセウス　214-215
デミバチュール　211
デーメーテール（＝ケレス、セレス）　146
テューティン、ロノット　142
デュマ・フィス、アレクサンドル　145
テラコッタ　74
天使の合唱団　68
天井（画）　30, 32, 65, 67, 74-75, 76, 77, 80, 82, 100, 114, 116, 117, 118, 151, 165, 170, 182, 197, 198, 203
『点・線・面』　16
天地創造　68
デンハム、ジョン男爵　167
テンプル騎士団　171

陶器　41, 85, 135, 168
闘鶏　103
陶磁器　148
透視図法　74
東大寺　22
饕餮文（とうてつもん）→獣面文
動物（文様）　8, 9, 14, 15, 18, 26, 32, 36, 45, 46, 47, 51, 52, 55, 56, 58, 112, 113, 160, 162-191, 235
東方三博士→三博士
トゥルネー、フアン・デ　140
時計　173, 249
トスカーナ銀行→旧サルヴィアーティ邸
トスカナ式　216
ドット　128, 148, 156
ドナトリッシ、アンヌ　84-85
ドナテッロ　74

ドビュッシー　206
扉　80, 103, 201
トーマ、オーギュスト＝アンリ　167, 186-187
ドストエフ　92
巴　103, 124
虎　174
ドラゴン　113, 194-195
囚われの一角獣　197
鳥　39, 46, 56, 58, 59, 112, 182, 183, 184, 199, 201, 202, 204
ドーリア式　38, 216
ドールマン、ゲオルク・フォン　78
ドルメッチュ、ハインリヒ　230
トレーサリー　18
ドレス　176, 238, 239
ドレッサー、クリストファー　24, 25
トレドのエレオノーラと息子ジョヴァンニ　115
トロイ体　224
トンボ　193
トンボの精　193

な
ナクト　134, 156-157
ナクトミン　30
長押（なげし）　216
名古屋城　179
ナツメヤシ・パーム
なでしこ　148
ナポレオン　92, 93, 184
波　38, 84
ナラム・シン　36
ナルキッソス（＝ナーシサス）　140
ナルキッソス（聖）　140
ナルシシズム　140

錦織　183, 191, 238
ニジンスキー　206
ニードルポイント・レース　242, 243, 244, 245
日本　11, 20, 22, 26, 47, 48, 51, 102, 103, 114, 117, 179, 192, 212, 220
日本趣味→ジャポニスム
人魚　200, 204
人魚姫　200
ニンドウ文→アンテミオン
ニンフ　167, 204, 206
ニンフェンブルク宮殿　84

ヌゥ　30
ヌト（女神）　31

ネオクラシック　21, 92, 94, 127, 151
猫　51
ネックレス　247, 248
ネブアメン　33
眠れる森の美女（＝眠り姫）　96, 136
ネーレイス（＝ネレイド）　42

ノートルダム大聖堂　218
ノルマン王宮　183

は
パウエル、ルイーズ　225
バウハウス　16
墓　30, 32, 33, 79, 134, 140, 156-157, 176
ハギア・ソフィア大聖堂　60, 61, 130
馬具　58, 168
バクスト、レオン　88-89
白鳥　96, 191
波形　8, 118, 123

羽衣天女　191
柱　9, 18, 32, 66-67, 79, 80, 132, 202, 206, 216
バスタード　224
裸の真実　177
バターフィールド、リンゼー・P　146
鉢　125
八角　119
ハーデース（＝プルート）　146
鳩　72, 186-187
パトロクロス　39
花喰鳥（＝咋鳥・さくちょう）　22, 183
花束　122, 238, 246
花綱　150
花びら文　51
花4部作　139
花輪→ガーランド
パネル　18, 96, 114, 116, 118, 123, 135, 139, 150, 159, 218, 219
パピルス　30, 32, 226
ハプスブルク家　93
パーム（＝シュロ、ナツメヤシ）　33, 35-36, 132
ハムリン、A・D・F　40
ハヤブサ　33
バラ　8, 9, 11, 12, 13, 104, 111, 136-137, 148, 151, 199
バラヴィチーニ宮殿　93
バラ園の聖母　136
パラダイス→楽園
パラティーナ礼拝堂　183
バラと涙　137
バラ花形→ロゼット
バラ窓　70, 71, 72, 151, 219
『薔薇物語』　166
はり　66-67
パリ市庁舎　198
パリス　159
パリスの審判　156-157
パリ装飾美術（アール・デコラティフ）博覧会　106
春　190
春→プリマヴェーラ（ボッティチェリ）
パルテノン神殿　216
バルドヴィネッティ、アレッソ　132
バルビエ、ジョルジュ　104-105, 128, 233
バルベリーニ　
パルメット　18, 34, 35, 36, 39, 40, 51, 68, 130, 132, 133, 138, 181
バレエ　81, 88-89, 206
バレエ・リュス（＝ロシア・バレエ団）　90, 199, 206
バレンタイン・カード　190
バロック（様式）　20, 21, 25, 26, 78-81, 82, 84, 93, 104, 116, 127, 129, 130, 154, 173, 188, 194, 198, 201, 206, 242
バーン　171, 206
半サロン　121
パンジー（＝3色すみれ）　142
バーン＝ジョーンズ、エドワード　96, 98, 99, 130-131, 148-149, 219, 224, 231
パンテオン　216
バン、ヘンドリック　150

ビアズリー、オーブリー　102, 188
ヒエログリフ　30, 31, 33, 34
ピーコック、トーマス・ラブ　232
ピーコック・ルーム　188
ビザンチン　60-65, 66, 68, 86, 88, 89, 90, 118, 119, 127, 156, 160, 164, 170, 171, 183, 186, 188, 194, 196, 198, 199, 201, 226, 228
菱　103, 111, 119, 221

253

『美術様式論』 13, 20
ビーダマイヤー様式 92, 93
筆記体→草書体
羊 65, 164-165
羊飼い 164, 171
ヒッポカンポス (=ヒッポカンパス、シーホース) 42
ヒッポリュトス邸 178
飛天 47
ひとよ茸 100
ひなぎく 143
火の鳥 199
豹 42
ピョートル大帝 89
ビリービン、イワン 89-90, 231
ビロード 116, 135, 183, 193
ビンゲン、ヒルデガルト・フォン 68
ファイアンス陶器 85
『ファウスト』 107
ファウヌス 206
ファウヌス家 150, 174, 180
ファブリアーノ、ジェンティーレ・ダ 76
ファブリック 12, 96-97, 137, 144, 146, 147, 155, 182, 183, 195
ファム・ファタル 177
ファラオ 31
ファルネジーナ邸 170, 203
『ファルバラ・エ・ファンフルリッシュ』 104-105
ファンタジー (文様) 112, 113, 194-206, 219
フィエラ神殿 217
フィビュラ 62
フィリップ4世 139
風景 (文様) 8, 9, 80, 99
フェストゥーン 150
フェニックス 55, 183, 199
フェルディナント1世 147
フェール、ポール 108
フォアマン、ルイス 145
フォーヴィスム 104
フォーク・アート (=民俗美術) 86, 88, 89, 96, 99, 143, 236, 239
フォゲット・ミー・ナット・ブルー 144
ブオナグイダ、パチーノ・ディ 161
フォンテーヌブロー 84-85, 167
福音書 57, 88
フーケ、ジャン 169
ブーシェ 89
不死鳥 199
豚 175
縁飾り 65, 129, 132, 211, 242, 243
フッカ 55
復活祭 166
ブック・デザイン 230
ブックバインディング 230, 232
プッサン、ニコラ 80
ブーシェ、フランソワ 83
武帝 212
ぶどう 87, 154, 156-157
ぶどう唐草 156, 157, 212
フライング・バットレス 70
フラスコ 213
プラスティック・バッグ 106, 249
フランキ1世 68
フランシスコの生命の木 161
フランチェスコ1世 77
フランボワイヤン式 72
フリーズ 68, 150
プリマヴェーラ (=春) 148

ブリューゲル、ヤン (父) 150
ブルネレスキ 74
フルール・ド・リス 138
フレスコ 163, 190, 204
ブレスレット 141, 248
フレット→グリーク・キイ
フレマン、ジャン 85
フレーム 41, 129, 152
ブロケード 192
ブローチ 62, 144, 211, 246, 247, 249
フローラ 130-131
ブロンズィーノ、アニョロ 115
分割文 235
ペイズリー 152-153
ペガサス 198, 203
壁画 32, 33, 41, 124, 125, 126, 134, 138, 150, 156-157, 161, 163, 172, 179, 180, 191, 221
ペトリ、フリンダース 18
ヘネタウイ 31
ペネロペ 219
蛇 45, 56, 58, 100, 124, 159, 167, 176-177, 180, 184, 193, 194, 203, 247
ヘーラー (=ユーノー、ジュノー) 138, 141, 170, 188
ヘーラークレース (=ヘラクレス、ハーキュリーズ) 175
『ベリー公の美しき時禱書』 228
ヘルクラネウム浴場跡
ペルシア (様式) 20, 22, 26, 50-55, 119, 120, 124, 127, 141, 151, 174, 183, 188, 201, 234, 235, 236, 238
ペルセウス (=パーシアス) 194, 198, 203
ペルセポネー (=プロセルピナ、パーセフォネー) 138, 146, 154
ペルツッィ、バルダッサーレ 170, 203
ベルナール、サラ 145, 194-195
ベルニーニ、ジャン・ロレンツォ 78
ベルヒトルト (=ベルトルドゥス・アウロファーベル) 71
ヘレニスティック→ヘレニズム
ヘレニズム 38, 40, 41
ベレロポーン (=ベレロポン、ベレロフォン) 198
ヘロドトス 199
扁足鼎 (へんそくてい) 46
ペンダント 248, 249
ホイッスラー、ジェームズ 188
鳳凰 55, 199
豊穣の来世 157
宝飾 (=ジュエリー) 68, 211, 246-249
琺瑯塗り 118, 119
牧神 206
牧神 (半獣神) の午後 206
星 8, 9, 36
星の花 106-107
ボスコレアーレ 44-45
ポスター 102, 145, 146, 194-195
ポセイドーン (=ネプトゥヌス、ネプチューン) 45
墓石 171
ボーダー 18, 41
ほたて貝 (=スキャロップ) 181, 188
ボッカチオ 228
ボッティチェリ、サンドロ 148, 181
ボナ、レオン 198
ポピー 146
墓廟 146, 202
ボビン・レース 211, 242, 243, 244-245
ホフマン、ヨーゼフ 107, 108, 232

ポライウオーロ、アントニオ・デル 154
ポリデウケース (=ポルックス) 162
ホルエムヘブ王 31
ボンネット (帽子) 244-245
ポンパドゥール夫人 82, 83, 238

ま
マギ 63
巻皮装飾 129
マクシミリアン1世 185
マグダラのマリア 199
マクラメ 242
マサッチョ 74
魔女 171
マスジェデ・ナスィー・アル・モスク 141
マッキントッシュ、チャールズ・レニー 58, 137
マックマード、アーサー・ハイゲート 99
マッディナート・アッ・ザハラー宮殿 114
マドンナ・トーディ 74
マドンナ・リリー 138
マニエリスム 21, 25, 76
マーマン 200
マヨルカ陶器 166
マリア→聖母マリア
マリー、チャールズ・フェアファクス 224
マルゴールト、エマヌエル・ヨーゼフ 107
マルティーニ、シモーネ 72
マルハナバチ 248
『万華鏡』 104
卍 126
マント 162
ミイラ 31
味覚 148
ミケランジェロ、ブオナローティ 74-75, 79
水差し 51, 201
「道を知れ」 68
三つ巴 124
ミトラ 88
ミニアチュール 50, 52, 55, 60, 226
ミーノータウロス (=ミノター) 170, 214-215
ミフラーブ 236-237
ミュシャ、アルフォンス 101, 135, 139, 145, 194-195, 219, 231, 248
ミルフィオリ 148
ミルフルール→千花文様
民俗美術→フォーク・アート
ミントン社 205
ムーア式 52
胸飾り 33, 38, 246, 248
ムハンマド 141
紫地鳳形錦縅 (むらさきじほうおうがたにしきのしょく) 213
メアンダー (=雷文) 38, 41, 126, 214
『メイド・マリアン、音符の城』 232
迷路 (文様) 126, 156, 208-209, 214-215
メソポタミア (様式) 21, 22, 26, 34-37, 38, 40, 51, 60, 62, 120, 123, 124, 127, 132, 133, 160, 162, 170, 175, 184, 201, 202
メダイヨン 55, 121, 209, 235
目玉 188
メデューサ 45, 198, 203
モザイク 42, 44-45, 60, 63, 65, 118, 119, 150, 156-157, 161, 164-165, 169, 174, 175, 178, 179, 180, 182, 183, 186, 188, 199, 200, 203, 214-215
モーザー、コロマン 106-107

254

モスク 50	龍 46, 47, 55, 176, 193, 194	■ 作品クレジット
モスクワ大公 89	リリー・ボーダー 116	
モダン・アート 13, 22, 99, 104	りんご 159	P31上左、P32上：The Bridgeman Art Library/AFLO
モダン・デザイン 11, 58, 92	『リンディスファーンの福音書』 57, 58, 59,	P43下：Alamy/AFLO
モノグラム 60	227, 228	P63上、P64-65、P77右、P86、P218：富井義夫/AFLO
モランディーノ、フランチェスコ 77		P67：©Colin Dixon/Arcaid/AFLO
モリス、ウィリアム 11, 12, 14, 58, 72, 96-97,	ルイ14世 78, 80, 81, 132, 240, 243	P70：SIME/AFLO
98, 99, 122, 130-131, 143, 148-149, 155, 156,	ルイ15世 82, 85	P75、P104下：AGE FOTOSTOCK/AFLO
157, 158, 160, 183, 195, 210, 211, 224, 225,	ルイ16世 84	P78上：HEMIS/AFLO
230, 231, 237, 240	ルカの福音書 225	P79：萩野矢慶記/AFLO
モフレ 122	ルーシ 86, 89	P80：伊東町子/AFLO
紋章 9, 18, 78, 117, 138, 163, 167, 169, 184,	ルター、マルティン 76	P82：F1online/AFLO
185, 197, 198, 209, 220-221	ルッジェーロ2世 162	P84-85上：TARO NAKAJIMA/AFLO
モンスター 36	ルネサンス（様式） 21, 25, 45, 71, 74-77, 78,	P92上：Jose Fuste Raga/AFLO
モンテーニュ、ミシェル・ド 163	80, 93, 94, 114, 117, 118, 119, 127, 129, 148, 150,	P94下：小笠原尚司/AFLO
モントルイユ、ピエール・ド 138	154, 159, 181, 203, 206, 218, 224, 228, 239, 240,	P49上下、P57、P83下、P137上、P140上2点、P142上、
『文様の博物館』 230	242, 248	P144上2点、P145左、P147右上、P166上、
	ルロアール、モーリス 81	P190下左、P200上、P202下右、P203下右、
や		P213上左、P239、P242上、P245右：
山羊 171, 206	礼拝 148-149	V&A Images/amanaimages
ヤコブ（聖） 63	霊廟 157	P32下、P40上、P41下、P43上、P60、P63下、P69、
ヤシ 132, 133	レイヨナン式 72	P73、P81、P90下、P133下、P138左、P139上左、
山犬 31	レース 111, 211, 239, 242-245	P141上、P151下中、P157上、P161下左、P170下、
山形 118, 123, 147	『レ・ゼトワール』 210	P179下右、P206上、P217上中、P217下左、
	レッド・ハウス 98	P217下右、P221上：
有翼日輪 34	蓮華（花） 47	AKG-Images/PPS
ユスティニアヌス帝 60, 62, 151	蓮華→ロータス	P35上、P36-37上、P59、P68上、P74下、P78下、
『ユダヤ古代誌』 68		P93、P150下、P162下、P174左、P196右、P186上右、
『ユダヤ戦記』 196	ロイト、カルル 116, 117, 118, 163	P190下中、P195上、P199上、P204、P214、P229：
『ユートピアだより』 157	ろうそくの聖母（＝玉座の聖母子） 159	Erich Lessing/PPS
ユニコーン 113, 167, 196-197	ロカイユ 82, 83, 85	P45下、P61：AGE Fotostock/PPS
指輪 246, 247	ロココ（様式） 20, 21, 25, 26, 48, 82-85, 92,	P50-51：Tibor Bognar/PPS
ゆり 8, 9, 100, 103, 138-139, 141	93, 94, 104, 116, 122, 129, 132, 144, 151, 158, 172,	P52上、P57、P94上、P205右：Heritage Image/PPS
ゆりの王子 138	173, 178, 179, 181, 186, 188, 191, 192, 194, 198,	P53：Superstock/PPS
	204, 206, 243	P65上：DeA Picture Library/PPS
妖精 56, 58, 158, 204, 209	ロシア 60, 86-91, 92, 199	P84下、P197図版2：Rex Features/PPS
羊皮紙 226	ロシア・バレエ団→バレエ・リュス	P88下左、P98下、P143上、P144下、P150上、
ヨセフス、フラウィウス 68	ロゼット（＝バラ花段） 30, 34-35, 39, 43, 51,	P151下左、P163左、P173右、P196右、P198下左、
ヨハネ（聖） 57, 185	136, 144, 151	P200下、P203上、P203下左、P219上、P247上右、
	ロータス（＝蓮華） 30, 32, 34, 35, 36, 40, 51,	P247下：Bridgeman/PPS
ら	134, 138	P168上左、P206下左：Granger/PPS
ライオン 36-37, 39, 51, 112, 163, 174, 175,	六角 119	P175下左：Science Photo Library/PPS
184, 196, 201, 202, 221	ロッホナー、シュテファン 136	P179上左：ArtArchive/PPS
ライター 249	ロートレック、アンリ・ド＝トゥールーズ 102	P181下左、P185下右：Album/PPS
ライティング・ケース 179	ローブ 128	P182上：Photoservice Electa/PPS
雷文→メアンダー	ローマ（様式） 26, 42-45, 47, 56, 60, 76, 78,	P223：Science Source/PPS
『ラ・ギルランド・デ・モワ』 233	80, 94, 114, 118, 119, 150, 151, 156, 162, 163, 164,	P95、P115下右、P143下右、P230上：
楽園 55, 136, 159, 176	169, 170, 174, 175, 178, 179, 180, 181, 186, 188,	アートハーベスト所蔵
楽園追放 159	190, 191, 198, 199, 200, 204, 206, 212, 214-215,	
ラシネ、オーギュスト 116, 118, 119, 122,	216, 222, 223, 226	■ 参考文献
124, 125, 126, 127, 129, 134	ローマ字 223	
ラスキン、ジョン 96	ローマ法王 76, 78	**洋書**
らせん 15, 18, 124-125	ロマネスク（様式） 21, 26, 58, 60, 66-69, 70,	Owen Jones, *The Grammar of Ornament*,
ラ・ソーヴ＝マジュール大修道院 205	71, 93, 127, 130, 150, 151, 194, 196, 201, 228	London, 1856
螺鈿紫檀琵琶（らでんしたんのびわ） 213	ロラン、クロード 80	Christopher Dresser, *The Language of Ornament:*
ラトゥール、モーリス＝カンタン・ド 238	ローレン、ソフィア 179	*Style in the Decorative Arts*, London, 1876
ラペット（垂れ飾り） 243	ロレンザッチョ 194-195	Alois Riegl, *Stilfragen:Grundlegungen zu einer*
ラム（＝子羊） 164	ロレンツォ、ピエロ・ディ 177	*Geschichte der Ornamentik*, Berlin, 1893
ラムセス6世 32	ロング・ギャラリー 151	Vassily Kandinsky, *Point and Line to Plane*,
ラリック、ルネ 14, 141, 176, 177, 178, 193, 248		New York, 1947
ランセット式 72	**わ**	
ランソー→唐草	ワイルド、オスカー 102, 188	**和書**
ランプ 100, 142	ワイルド・マン 201	『点・線・面──抽象芸術の基礎』ワシリー・
ランブール兄弟 228	我が唯一の望み 197	カンディンスキー著／西田秀穂訳　美術出
	わし 31, 163, 182, 183, 184-185, 201, 221	版社 1959
リヴィエール夫人 152	忘れな草 144	『リーグル美術様式論─装飾史の基本問
リーグル、アロイス 13, 14, 20, 114, 130		題』（美術名著選書11）アロイス・リーグル
リバティ社 144		著／長広敏雄訳　岩崎美術社 1970
リボン 85, 122, 238		『世界装飾図集成』全3巻　オーギュスト・
		ラシネ著　マール社 1976
		『世界装飾文法2020』全2巻　オーウェン・
		ジョーンズ著　学習研究社 1987

255

海野 弘　Hiroshi Unno

1939年生まれ。早稲田大学文学部ロシア文学科卒業。
平凡社にて『太陽』編集長を経て、幅広い分野で執筆を行う。

『おとぎ話の幻想挿絵』『優美と幻想のイラストレーター ジョルジュ・バルビエ』
『夢みる挿絵の黄金時代 フランスのファッション・イラスト』『野の花の本 ボタニカルアートと花のおとぎ話』
『おとぎ話の古書案内』『ロシアの挿絵とおとぎ話の世界』『クラシカルで美しいパターンとデザイン ウィリアム・モリス』
『ヨーロッパの図像 神話・伝説とおとぎ話』『世紀末の光と闇の魔術師 オーブリー・ビアズリー』
『アイルランドの挿絵とステンドグラスの世界 ハリー・クラーク』『チェコの挿絵とおとぎ話の世界』
『北欧の挿絵とおとぎ話の世界』『ロシア・アヴァンギャルドのデザイン 未来を夢見るアート』
『マティスの切り絵と挿絵の世界』『世界の美しい本』『アルフォンス・ミュシャの世界 2つのおとぎの国への旅』
『オリエンタル・ファンタジー アラビアン・ナイトのおとぎ話ときらめく装飾の世界』
『ヨーロッパの幻想美術 世紀末デカダンスとファム・ファタール(宿命の女)たち』
『ヨーロッパの図像 花の美術と物語』『ファンタジーとSF・スチームパンクの世界』
『日本の装飾と文様』『グスタフ・クリムトの世界 女たちの黄金迷宮』
『おとぎ話のモノクロームイラスト傑作選』『ロシア・バレエとモダン・アート 華麗なる「バレエ・リュス」と舞台芸術の世界』
『366日 風景画をめぐる旅』『366日 物語のある絵画』『366日 絵のなかの部屋をめぐる旅』『366日 絵画でめぐるファッション史』
『クィア・アートの世界 自由な性で描く美術史』『ウクライナに愛をこめて ウクライナ美術への招待』
(すべて パイ インターナショナル刊) など著書多数。

協力
アートハーベスト
株式会社アフロ
株式会社アマナイメージズ
株式会社ピーピーエス通信社

ヨーロッパの装飾と文様

2013年11月22日　初版第1刷発行
2024年 8月 8日　　第10刷発行

著者　海野 弘

アートディレクション　原条令子

デザイン　公平恵美

校閲　酒井清一

編集　荒川佳織

発行人　三芳寛要
発行元　株式会社 パイ インターナショナル
〒170-0005　東京都豊島区南大塚2-32-4
TEL 03-3944-3981　FAX 03-5395-4830　sales@pie.co.jp

印刷・製本　アベイズム株式会社

©2013 Hiroshi Unno / PIE International
ISBN978-4-7562-4428-4 C3070
Printed in Japan

本書の収録内容の無断転載・複写・複製等を禁じます。
ご注文、乱丁・落丁本の交換等に関するお問い合わせは、小社までご連絡ください。
著作物の利用に関するお問い合わせはこちらをご覧ください。
https://pie.co.jp/contact/